WIEN

Hans Weigel
Ernst Hausner

WIEN

Hans Weigel
Ernst Hausner

Jugend und Volk
Wien München

ISBN 3 - 7141 - 6024 - 8
Jugend und Volk Wien
3. Auflage 1979

© Copyright 1977 by Jugend und Volk
Verlagsgesellschaft m.b.H., Wien-München
Alle Rechte vorbehalten.
4184 - 79/3/100

Gestaltung: Ernst Hausner-Stollhofen
Englische Übersetzung: Renate Welsh
Französische Übersetzung: Michèle Rössner
Italienische Übersetzung: Livia Tonelli
Druck: Tusch-Druck GmbH, Wien

Hans Weigel
WIEN IST ANDERS

WIEN IST ANDERS

Hier ist alles anders, als es scheint, anders, als es heißt, anders, als Sie es erwarten.

Vor allem: Die Stadt Wien liegt nicht an der Donau. Sie liegt an dem Fluß namens Wien, welcher kein Fluß ist und an dem sie eigentlich auch nicht liegt. Denn sobald er (der Fluß) sich ihr (der Stadt), sacht und spärlich heranströmend, genähert hat, wird sie (die Wien) versteckt und schließlich auch noch überwölbt.

Nur mit dem letzten Stück ihres Laufes bietet die Wien das, was Flüssen, an denen Städte liegen, zukommt: sie tritt zutage und fließt, allgemein sichtbar, angenehm in die Stadtlandschaft einbezogen, der Mündung zu, die sie aber allzu bald erreicht. Sie ziert den Wiener Stadtpark, sie scheidet das Kriegsministerium, das keines mehr ist, von der Großmarkthalle (die so genannt wird, obwohl sie längst nicht mehr so heißt) und dem Hauptzollamt (das so genannt wird, obwohl es längst nicht mehr so heißt) — und schon mündet sie, aber beileibe nicht in die Donau, sondern in den Donaukanal, an dem Wien gleichfalls liegt, der aber kein Kanal ist, sondern ein Arm der Donau.

Das Bett der Wien ist großmächtig, tief und breit, aufwendig gestaltet und fast völlig trocken. Sieht man ganz genau hin, dann — und nur dann — erblickt man dort unten ein lächerlich spärliches Gerinnsel. Dieser Flußzwerg im riesigen Flußbett wirkt, als würde ein großmächtiges zweischläfriges Himmelbett von einem Baby eingenommen. Und man meint, Großmannssucht oder Größenwahn hätten dieses Mißverhältnis auf dem Gewissen: die große Stadt wollte um jeden Preis den namengebenden Fluß aufwerten. Doch weit gefehlt! Die kleine Wien, äußerlich harmlos und unschädlich, wurde immer wieder von heute auf morgen gefährlich; so lange pflegte sie zur Frühjahrszeit immer wieder aus ihren Ufern zu treten und Schaden anzurichten, bis der große Bürgermeister Dr. Karl Lueger die Regulierung und Assanierung durchsetzte. Wer sich der Stadt vom Westen her nähert, sieht die großzügigen Anlagen und den kleinen Wasserlauf, ehe er versteckt dahinfließt: unscheinbar, unauffällig, harmlos, idyllisch-gemütlich, doch von Natur aus dämonisch-bedrohlich — ein Wahrzeichen wider Willen, ein Symbol, ein Leitmotiv.

Die Feststellung dieser wienerischen Doppelgesichtigkeit — harmlos-dämonisch — ist nicht neu, aber doch auch wieder nicht so alt, wie man glauben könnte. Wien gefiel sich lange, allzu lange in der Rolle einer Hauptstadt der Lebensbejahung, Lebensfreude, Lässigkeit, was ihr unter anderen von Goethe und Schiller („Immer ist's Sonntag, es dreht immer am Herd sich der Spieß") und von Grillparzer („Entnervend weht dein Sommerhauch, du Capua der Geister") attestiert wurde. Wien tat nichts dagegen, daß man die Devise „Das Leben ein Tanz" in die Wiener Musik hineinhörte, daß Tanzen und Tanzmusik als Selbstdarstellung, nicht als Ausweg — als Diagnose, nicht als Therapie aufgefaßt wurden.

Wien schien noch bis in die Spätzeit der Operette und die Pionierjahre der Tonfilmindustrie fesch und resch und fidel. Erst die zweifache Katastrophe von apokalyptischen Ausmaßen mit ihrer zweifachen besonderen Heimsuchung der Stadt Wien ließ allmählich die Frage aufkommen, ob der landesübliche Tanz im Dreivierteltakt nicht ein Tanz auf einem Vulkan gewesen sei.

Dann, in den Jahrzehnten, seit die Stadt Wien aus der Asche des Zweiten Weltkrieges aufgestiegen ist, hat sie ihr Bild neu zu sehen versucht, das Dämonische hinter der harmlosen Fassade entdeckt und dabei sozusagen auch ihre Vergangenheit rückwirkend umgebaut. Immer wieder kann man seither von vernünftigen und nachdenklichen Wienern hören, daß Wien gar nicht so sei, wie das Klischee es wahrhaben will; auf diese Negation des Wien-Klischees stößt man seither derart häufig, daß sie ihrerseits schon zum Klischee zu werden droht.

Und das mag damit zusammenhängen, daß die Stadt Wien 1955 mit der Unterzeichnung des Staatsvertrages und dem Neubeginn der österreichischen Souveränität in eine neue, sehr überraschende Phase ihrer Existenz eintrat, mit der sie fertigzuwerden hatte.

Verfolgt man die Seelenlage Wiens in die Vergangenheit hinein, wird man immer wieder einer kürzlich abgelaufenen „guten alten Zeit" und einer bösen Gegenwart begegnen.

Nach dem Zerfall des Reichs in der napoleonischen Ära verdunkelte finsterer Absolutismus das Biedermeier — da war die kurze Stabilität nach dem Wiener Kongreß die gute alte Zeit. Chaos und Libertinismus schreckten in der sehr heftigen Explosion der Wiener 1848er Revolution sowohl die Konservativen wie die Liberalen, schwärzeste Reaktion triumphierte nach der blutigen Liquidierung der Revolution — da wurde das Biedermeier zur guten alten Zeit. Zu Anfang der siebziger Jahre des vorigen Jahrhunderts brachte der Börsenkrach des „schwarzen Freitag" gewaltige soziale und wirtschaftliche Unruhe — da waren die vorangehenden, wenn auch hektischen und unsoliden sogenannten Gründerjahre die gute alte Zeit. Um die Jahrhundertwende trat die Zersetzung und Agonie der Donau-Monarchie immer akuter zutage, die Fassade der Prosperität wurde von nationalen und politischen Spannungen und Katastrophen allmählich ausgehöhlt. Schon vor dem Ausbruch des Ersten Weltkriegs hatte Karl Kraus das Wort von der „österreichischen Versuchsstation des Weltuntergangs" gefunden. Trotzdem sahen viele rückwärtsgewandte Optimisten in dieser „Welt von gestern" später eine gute alte Zeit. Anschließend an den Krieg, der in Wien begonnen wurde, zum Ersten Weltkrieg wurde, erklärte sich der Weltuntergang für Wien sozusagen in Permanenz — obwohl gerade damals viele Symptome einer guten neuen Zeit zu rühmen gewesen wären: Wohnbauten, Schulen, Gesundheitswesen der Gemeinde Wien. Maurice Ravel hat in seiner Tondichtung „La Valse" ein Porträt der Stadt skizziert, die vergeblich versucht, den Anschluß an ihre klassische Walzer-Vergangenheit zu finden. In einem Wienerlied jener Zeit besang sich Wien im Dreivierteltakt als „sterbende Märchenstadt". Von Napoleon bis zum Tonfilm, angesichts einer kontinuierlichen Krise, angesichts permanenten Niedergangs, waren Aufwertung der Vergangenheit und Aufbau des Klischees Notwehr und Selbstverteidigung gewesen; da konnte ein Wahlwiener und Schätzer der Stadt Wien, der Chirurg Theodor Billroth, stellvertretend für alle Beobachter feststellen: „Hier ist eben alles gemütlich . . . Hier singen wir und musizieren wir und gehen ins Theater und zu Strauß und stecken mit ihm den Kopf in den Sand unserer Gemütlichkeit." Da waren die beiden klassischen lokalen Formeln „Es muß was g'schehn" und „Da kann man nix machen" miteinander identisch, da waren Fatalismus und Flucht aus der Wirklichkeit zur sinnvollen Lebenshaltung geworden. So wurde Wien zur Stadt der Künste, vor allem des Theaters.

Doch nach der Konsolidierung durch die Währungsreform (1948) und dem Abzug der Besatzungstruppen (1955) vollzog sich die unerwartete Wendung; in einer Stadt, die im Gedächtnis all ihrer lebenden Bewohner von Pleite zu Pleite, von Krise zu Krise, von Katastrophe zu Katastrophe geglitten war, in einer Stadt, deren Hymnen immer wieder gewechselt hatten — von Haydns Kaiserlied über eine kurzlebige unpopuläre republikanische Hymne zurück zu Haydns Melodie, der erst ein Text, der die Heimaterde besingt, unterlegt wurde, dann „Deutschland über alles" —, in dieser Stadt hatten seit jeher die inoffiziellen wienerischen Hymnen Vorrang. Da war die Selbstdarstellung des legendären Volkssängers Augustin, die in heiterem Tonfall verkündete „Alles ist hin", mit ihr verwandt das Lied aus Nestroys „Lumpazivagabundus", das die apokalyptische Erkenntnis „Die Welt steht auf keinen Fall mehr lang" gleichfalls im fröhlichen Dreivierteltakt äußerte und in einen Jodler ausklingen ließ; ihnen gesellte sich ein resignierender Dreivierteltakt aus der „Fledermaus": „Glücklich ist, wer vergißt, was doch nicht zu ändern ist."

Eine derart auf den Untergang orientierte Stadt sah sich unversehens und völlig unvorbereitet den Segnungen der Friedlichkeit, der Prosperität, des Wohlstands, der Konjunktur, der politischen Stabilität ausgesetzt.

Eine neue Krise zeichnete sich ab, eine Krise, die darin bestand, daß keine Krise stattfand. Fatalismus war überholt. Flucht aus der Wirklichkeit war ein Luxus. Wien hatte zum erstenmal Muße, sich ohne berechtigte Angst vor der Zukunft seiner Gegenwart zu stellen. Wien fand Zeit und Kraft, Atem zu holen, umgeben von Zuständen, die man im Rahmen der gesamteuropäischen Lage als gemütlich bezeichnen durfte, festzustellen: Wir sind gar nicht gemütlich! Wien lebte seine Gegenwart, sah sich selbst an und musterte seine Vergangenheit, und ein kluger Mann sagte zu Anfang der sechziger Jahre: „Die gute alte Zeit ist jetzt!"

Doch ein in Seelen und Tradition eingewurzeltes Lebensgefühl läßt sich nicht über Nacht in sein Gegenteil verkehren. Irrealitäten und Widersprüche sind zu tief in das Gesicht der Stadt eingegraben, als daß eine kurze Zeit sie zu sänftigen oder gar aufzulösen vermöchte.

Wien hatte in einer widerruflichen Beziehung zu der Welt der Tatsachen im Zeichen des „trotzdem" und des „als ob" gelebt. Doch wie es schließlich mit dem Ungemach fertig geworden war, meisterte es nun auch den Wohlstand. Die säkulare Not hatte Wien nicht gebrochen, und auch die fetten Jahre (es waren ihrer etwa zweimal sieben) vermochten die Stadt nicht zu beugen.

Inzwischen ist die vorläufig letzte gute alte Zeit bereits in das Gestern entrückt. Aufatmend stellen wir fest, daß wir auch sie heil überstanden haben. Wir haben wieder ernsthafte Sorgen, wir sind wieder „glückliche Unglückliche, so wie manche Leute unglückliche Glückliche sind". (Ferdinand Raimund)

Ebenso wie die Stadt Wien nicht an der Donau liegt, obwohl dies allgemein behauptet wird (man könnte viel eher sagen: die Donau liegt an der Stadt Wien), wie diese Donau grünlich oder bräunlich und keinesfalls blau ist, wie das Theater an der Wien nicht an der Wien liegt, wie ein Wiener Platz „Schottentor" genannt wird, obwohl sich dortselbst seit mehr als hundert Jahren kein Tor mehr befindet, häufen sich auch sonst in dem Bild der Stadt die Widersprüche.

Was die Ringstraße, im Volksmund „der Ring" genannt, betrifft, ist sie zunächst natürlich kein Ring, sondern ein Halb- oder Dreiviertelkreis, ein Bogen, dessen Sehne der Franz-Josefs-Kai am Ufer des Donaukanals darstellt.

Diese Ringstraße, die längst ihre Hundertjährigkeit feiern konnte, umgreift die sogenannte „Innere Stadt", den ersten von insgesamt dreiundzwanzig Wiener Bezirken, der, obwohl nur ein Dreiundzwanzigstel von Wien, doch allgemein „die Stadt" genannt wird. Wiener, die sich innerhalb der Stadt Wien in ihr Zentrum begeben, sagen: „Ich geh' in die Stadt."

Ehe man der Frage nähertritt, ob die Ringstraße tatsächlich, wie oft behauptet wird, eine der schönsten Straßen der Welt ist, muß man sich fragen, worin Schönheit einer Stadt und worin eine Straße besteht. Auch eine Art Relativitätstheorie der Formen von Kunstwerken und Landschaften wird man bei dieser Gelegenheit skizzieren können.

Ich weiß, daß sich das Matterhorn in der Schweiz, die Hohe Munde in Tirol, Rax und Schneeberg südlich von Wien und der Leopoldsberg vor den Toren Wiens in den letzten Jahrhunderten äußerlich nicht verändert haben — und doch sehen sie heute anders aus als vor dem Beginn des alpinistischen Zeitalters. Ich weiß, daß die Wiener Oper, das Musikvereinsgebäude, das Gebäude der Postsparkasse sich in den letzten Jahrzehnten nicht verändert haben — und doch sehen sie heute anders aus als unter Franz Josef I. Es kommt beim Anschauen nicht nur auf das Bild, sondern auf den Anschauenden und seine Zeit an. Sogar Filme verändern sich mit den Jahren. Und so hat sich auch die Wiener Ringstraße dem Relativitätsprinzip unterworfen.

Ein Gebäude, mit sich völlig identisch, sieht anders aus, wenn Pferdewagen oder elektrische Straßenbahnen an ihm vorüberfahren. Es sieht anders aus, wenn ich es täglich sehe oder wenn ich es vor Jahren gesehen und jahrelang von ihm geträumt habe und es dann wiedersehe. Die Wiener Oper sah anders aus, als Gustav Mahler, als Franz Schalk, als Karl Böhm ihr Direktor war.

Die Ringstraße war immer schon eine schöne Straße, was die Gehsteige, die Fahrbahn, die Bäume und Grünanlagen betraf. Sie wurde geschaffen, als Kaiser Franz Josef die alten Befestigungen schleifen ließ. Die innere Stadt, aus ihrer Umklammerung befreit, drängte stürmisch über sich hinaus in die Weite und Breite, da die Stadt endlich nicht mehr mit „der Stadt" identisch war, ehemalige Vorstädte und Vororte einbegriff, sich kontinuierlich ausdehnen konnte, bis an die Donau, bis an die Hänge des Wienerwalds, der kein Wald ist, sondern ein Gebirgszug.

Beiderseits der Fahrbahnen, Gehsteige, Baumreihen und Grünanlagen erstanden die großen repräsentativen Prunkbauten: Burgtheater, Oper, Museen, Börse, Parlament, Rathaus, Universität, im aufwendigen eklektizistischen Stil der Gründerzeit, falsche Gotik, unechte Renaissance, Antike im Zuckerguß-Stil. Im Aufschwung der Entstehungszeit mag dieser sogenannte „Ringstraßenstil" auf seine Art etwas von Schönheit an sich gehabt haben. Als mit Jugendstil und Sezession die architektonische Neuzeit angebrochen war, wurde er immer unerträglicher. Doch inzwischen hat die Geschichte unsere Blicke beeinflußt. Das Wiener Rathaus erschien mir immer häßlich in seiner vorgetäuschten Original-Gotik. Als ich es im Herbst 1945 nach mehr als siebenjähriger Abwesenheit sah, war das Gebäude mit soviel politischer Substanz angereichert, daß ich es mit anderen Augen sehe; es ist mehr Inbegriff einer Stadt als Ausdruck einer ratlosen Baugesinnung. So sind alle Ringstraßen-Prunkbauten heute anders geworden, sie sehen anders aus, wenn wir ein Jahrhundert mitsehen.

Und damit stellt sich die allgemeine Frage nach der Schönheit einer Stadt. Vollkommene Schönheit existiert nicht. Nicht einmal Salzburg ist an allen Punkten schön. Ich glaube, daß die „schöne Stadt" die geheimnisvolle Macht hat, auch das Nicht-Schöne einzugemeinden.

Groß und fast einzigartig an der Ringstraße war und ist zweifellos ihre Großzügigkeit, ihre Weiträumigkeit. Sie hat imperialen Zuschnitt. Sie realisiert einen großen Plan in souveräner, schöpferischer Verschwendung, wie sie nur der Absolutismus sich leisten kann.

Da ist etwa ein Platz, der von zwei großen Museen flankiert wird, in deren Mitte die dicke Kaiserin Maria Theresia auf einem hybriden Denkmal thront. Hinten, abgrenzend, sehen wir die echte und edle, kaum verschandelte Fassade der ehemaligen Hofstallungen, heute Messepalast — ihr entspricht jenseits des Rings als vierte Begrenzung das noble äußere Burgtor — da ist so viel Weite, so viel Maß, das ist so sehr Kaiserstadt im guten Sinn, daß die nachempfundenen Kuppel-Aufbauten mitsamt der übermonumentalen Maria Theresia unerheblich werden.

Viele Wiener Plätze haben das; sie sind nicht von Fassaden im Geviert eingefaßt, sie reichen über sich hinaus, sie sind sozusagen nicht „ein Platz", sondern „viel Platz".

Jenseits des äußeren Burgtores erstreckt sich das Muster-Exemplar dieser Gattung, der Heldenplatz, in die Weite reichend, in drei Richtungen von fernen Silhouetten statt von Fassaden gerahmt, kein Saal-Platz, sondern ein weiter Raum. Auch hier wird die architektonische Qualität durch die Anlage geadelt.

Die Donau ist nicht blau, aber das innere Wien ist sehr grün, gerade hier, wo Volksgarten, Burggarten und Rathauspark einander ablösen, von den Alleebäumen der Ringstraße verbunden, wo aus viel Platz das große Geheimnis einer schönen Stadt sich offenbart und wo von einem gesegneten Punkt vor der Burg-Fassade aus auch die Skyline der Wienerwaldberge sich darbietet.

Die zuckerlgotische Votivkirche, ein wenig weiter am Ring, beim sogenannten Schottentor, liegt so prächtig im freien Raum, wie es sich jede echte Kathedrale nur erträumen könnte. Wäre sie eine, dann würde die Schönheit unerträglich schmerzen.

Die Stephanskirche, im Zentrum des Zentrums, ist hinwiederum eine echte große gotische Kathedrale. Drum muß sie ungünstig liegen. Von keinem Blickpunkt aus bietet sich sie sich so dar, wie es ihr gebührte; nur ihr hoher Turm mit seiner unbegreiflichen harmonischen Synthese von Wucht und Schlankheit ist von vielen Seiten her aus der Distanz bestens sichtbar.

Und das andere gotische Juwel der Inneren Stadt, die Kirche „Maria am Gestade" (die — überflüssig zu sagen — an keinem wie immer gearteten Gestade liegt), ist so hilflos in enges Gassenwerk gezwängt, daß sie schwierig zu finden und noch schwieriger anzublicken ist.

Die Schönheiten der schönen Inneren Stadt sind vorwiegend heimliche Schönheiten, die sich nicht darbieten, sondern aufgespürt und entdeckt sein wollen: Höfe, Treppenhäuser, unbekannte Winkel, Gassen, Plätzchen, im schmalen Gewirr verborgene Fassaden, auch kleinere, unprominente Kirchen mit eher nichtssagendem Äußeren und grandiosen Innenräumen.

Ein einziger Platz bestätigt als große Ausnahme die Regel: der barocke Josefsplatz (Typus „Saal-Platz") mit der Fassade der Nationalbibliothek, ein Teil der Hofburg, die keine Burg ist, sondern eine Stadt für sich, eine Stadt in der Stadt in der Stadt, ein Kompendium der Wiener Baugeschichte und ein österreichisches Symbol obendrein, die Gnade des Unvollendeten verkündend: der große neueste Flügel der Hofburg (von hier aus erstattete Adolf Hitler seine „Vollzugsmeldung"), als repräsentativer Sitz des Monarchen geplant, wurde zu spät fertig, um von Habsburgern bezogen zu werden. Auch er ist im Ringstraßenstil erbaut und nur die erste Hälfte eines gewaltigen Projekts, das den Heldenplatz und damit das Gesicht Wiens verschandelt hätte. Die Habsburger sind rechtzeitig gestürzt worden.

Gegenüber dem Inneren Burgtor, am Michaelerplatz, hat der große Wiener Architekt Adolf Loos provokant sein ornamentloses Haus hingebaut, um den Kaiser und nicht nur ihn zu ärgern. Er hat, als der Jugendstil modern und die neue Kunst sezessionistisch war, seine Generation radikal überrundet. Er war ein großer und verkannter Sohn seiner Stadt, ein leidenschaftlicher Nein-Sager. Zwei Bände seiner Schriften nannte er „Trotzdem" und „Ins Leere gesprochen". Er war der Prototyp des ungemütlichen Wieners, einer der Propheten, deren Zeit erst im Zeichen des Anti-Klischees neu anbrechen kann. Er hat die seit dem Ende des Barock verschwundene und verratene echte reine Schönheit neu entdeckt — unötig zu sagen, daß Wien ihn schändlich wenige Häuser bauen ließ.

Die große Achse der Inneren Stadt heißt vom Ring bis zur Stephanskirche Kärntnerstraße und von dort bis zum Franz-Josefs-Kai Rotenturmstraße und verläuft in annähernd nordsüdlicher Richtung. Ihr entspricht keine ostwestliche Achse, auf daß ja keine allzu pedantische Übersichtlichkeit aufkomme, auf daß die sehenswerten Glanzpunkte Gelegenheit haben, sich gebührend zu verstecken, darunter die zahlreichen bedeutenden Palais mit mehrheitlich exotischen Namen und aristokratischem Zuschnitt: Palffy, Pallavicini, Wilczek, Lobkowitz, Kinsky, Esterházy . . . sie erzählen, daß Wien eine Vergangenheit als Reichshaupt- und Residenzhauptstadt hat.

Von den zahlreichen Wiener Bahnhöfen sind zwei großzügig und splendid renoviert worden, und es ist kein Zufall, daß diese beiden gerade der West- und der Südbahnhof sind.

Wie einst fährt man von Wien westwärts in die Schweiz, nach Frankreich, in die Bundesrepublik, nach Holland und Belgien. Wie einst fährt man von Wien südwärts nach Italien und Jugoslawien.

Die Windrose aber kennt vier Richtungen. Die Wiener Windrose kannte sogar mehr als vier: denn die wesentlichen Wiener Bahnhöfe waren der West-, der Süd-, der Ost-, der Nord-, der Nordwest- und der Franz-Josefs-Bahnhof. Dem entsprechend könnte man sagen, die Wiener Himmelsrichtungen hießen: Westen, Süden, Osten, Norden und Franz Josef. Diese fünfte Richtung ist derzeit nicht mehr aktuell. Mit der Franz-Josefs-Bahn fuhr man einst nach Prag, Dresden, Berlin, heute fährt man eher nach Gmünd. Vom Ostbahnhof aus (er wurde inzwischen mit dem Südbahnhof zusammengelegt) fuhr man einst nach Budapest, heute fährt man eher nach Bruck an der Leitha. Nordbahnhof und Nordwestbahnhof sind nicht mehr, ebenso auch die elektrische Schnellbahn nach Bratislava, „Preßburger Elektrische" genannt. Wien ist im Norden und Osten durch einen nahen, mehr oder weniger dichten Eisernen Vorhang von seiner Vergangenheit getrennt. Damit wurde um 1948 eine Entwicklung besiegelt, die dreißig Jahre vorher begonnen hatte.

Eines Morgens im Jahr 1918 wachten sieben Millionen Österreicher auf, und ihre Großeltern waren Ausländer geworden.

Die Devise „Wien bleibt Wien", halb Verheißung, halb Drohung, hat sich durchaus in jedem Sinn als berechtigt und geradezu prophetisch erwiesen: Wien war immer Wien gewesen. Wien war von frühen Babenberger-Zeiten um die Jahrtausendwende her auch schon immer „Hauptstadt"; doch der Organismus, dessen Haupt da war und blieb und dauert, variierte seit jeher. Wien war stets mehr Hauptstadt an sich als Hauptstadt eines Staats oder Reichs.

Hier residierten Kaiser eines Heiligen Römischen Reichs, das weder heilig noch römisch und staatsrechtlich nicht recht faßbar war. Die Schatzkammer in der Wiener Hofburg bewahrt ihre Krone und andere Reichskleinodien und Insignien, die Gruft unterhalb der Kapuzinerkirche zeigt den Besuchern eine imponierende Fülle allerhöchster Sarkophage.

Als Kaiser Franz angesichts der napoleonischen Herausforderung das Heilige Römische Reich liquidierte und damit vollzogenen Tatsachen im letzten Augenblick eine Form gab, nannte er sich in dem offiziellen Patent, das die Auflösung vollzog, mit seinem offiziellen Kaisertitel. So geschah es, daß der römische Kaiser Franz II., „König in Germanien, Ungarn und Böhmen" etc. und „allzeit Mehrer des Reichs" die Minderung des Reichs besiegelte. Der neue Kaiser nach Kaiser Franz war Kaiser Franz, und eigenartigerweise hatte er seine Karriere als Kaiser Franz II. begonnen und beendete sie als Kaiser Franz I. Nun erst waren die Habsburger „Kaiser von Österreich"; gleichzeitig aber waren sie Könige von Ungarn, von Böhmen, von Kroatien, Slawonien, Lodomerien, Großherzoge von Toscana und Krakau, Herzoge von Friaul, Modena, Parma, Piacenza und Guastalla, Könige von Jerusalem und vieles andere mehr. Der offizielle Kaisertitel bis 1918 war in seinem vollen Wortlaut abendfüllend und ein krauses Gemisch aus Wirklichkeit und Idee, denn wohl gehörten Ungarn, Böhmen, Krakau und vieles andere zum Herrschaftsbereich des Kaisers, nicht aber Jerusalem, Toscana und manches andere.

Die Zusammensetzung der Wiener Bevölkerung spiegelt den Tatbestand, daß Wien Zentrum eines weiten Gebiets mit vielfältigen Nationalitäten war. Bis heute sind die Wiener Familiennamen eine fesselnde und erhellende Kombination von Autochthonem und Zugewandertem. Das Defilé der Wiener Firmenschilder ist ein völkerkundliches Abenteuer, die Lektüre des Wiener Telephonbuchs ein Hohn auf das Rassenprinzip, dies insbesondere unter Po- (Pochvalevsky, Poczymek, Podaril, Podbrany, Podebradsky, Podeschwa, Podgaischek, Podgornik, Podhradsky, Podhrajsek, Pogatschnik etc.), bei Vy- (Vybiral, Vybrny, Vycesal, Vychitil, Vycudil, Vymlatyl, Vyoralek, Vyplasil, Vyskocil, Vystrcil etc.), aber auch bei Sm-, Sr-, Chl- und Chm. Und so etwas wollte man an ein „großdeutsches Reich" anschließen!

Wien war die Hauptstadt eines Gebildes und einer Idee, die Böhmen und die Slowakei, Karpatorußland und Ungarn, die Bukowina und halb Polen, Krain, Kroatien, Triest und Dalmatien, einen Teil des Gardasees und vieles andere einschlossen. Der Zuschnitt der Zweimillionenstadt entsprach durchaus dieser Funktion. Seit dem November 1918 aber war dieses selbe Wien die Hauptstadt einer Republik von insgesamt rund sieben Millionen Einwohnern, zum erstenmal seit uralten Zeiten auf die Realität eines verfassungsmäßig und staatsrechtlich konkreten Gebiets reduziert und dies nicht aus freiem Willen, sondern als Opfer eines Diktats. „L'Autriche, c'est ce qui reste", hatte Georges Clémenceau verkündet. Was übrig blieb, nachdem Ungarn abgetrennt war, nachdem die Tschechoslowakei sich konstituiert, die Südslawen sich vereint, Rumänien und Italien sich territorial bedient hatten, wurde zu Österreich. Die absurde Methode dieser Friedenslösung, die unvorbereitete Einführung der Republik, die Relation zwischen einer Riesenstadt und einem Zwergstaat, das war nicht von heute auf morgen zu bewältigen, dazu war es wohl historisch-psychologisch erforderlich, daß die prekäre Realität zwischen 1938 und 1945 unterzugehen verurteilt wurde.

Wien war als Hauptstadt der Republik Österreich nicht ganz wirklich dagewesen. Dann erlebte es in der Zweiten Republik eine Auferstehung, als wäre es immer dagewesen.

Daß Wien sich selbst nicht zu groß und nicht zu klein geworden, mit sich identisch geblieben ist, der Vergangenheit als Reichs-Haupt-und-Residenzstadt getreu, aber nicht restaurativ, der Rolle als Zentrum eines föderalistisch gegliederten alpinen Bundes gerecht und gewachsen — mit einem Wort: daß Wien Wien geblieben ist, scheint mir eine bemerkenswerte Leistung und scheint darauf hinzudeuten, daß Österreich in seiner heutigen Form doch nicht nur das Ergebnis eines Diktats der Sieger von 1918 ist, sondern eine sinnvolle Einheit, daß alles andere, größere nur Schale, das Land zwischen Bodensee und Neusiedler See aber stets der Kern war. Wäre es anders, hätte sich Wien nicht zweimal unter schwierigsten Nachkriegsvoraussetzungen bewährt.

Vielleicht wird die Wiedergeburt Wiens in der Zweiten Republik einmal nicht nur als gute alte, sondern als eine große Zeit in die Geschichte eingehen. Solche Gedanken sind freilich unpopulär und dem Wesen Wiens fremd. Sie werden aber unter anderem dadurch nahegelegt, daß es zu keiner Zeit der österreichischen Republik hier eine ernsthafte monarchistische Bewegung gegeben hat, obwohl eine solche Gesinnung in tristen Zeiten nach jahrhundertelanger Großmacht-Ära gewiß naheliegend gewesen wäre. Die Republik konnte es sich sogar gestatten, die Aufstellung eines Franz-Josefs-Denkmals im alten Kaisergarten, heute Burggarten, zu tolerieren. Sie ist so sehr in der Wirklichkeit und im Bewußtsein verankert, so selbstverständlich über jede Diskussion erhaben, daß sie hauptsächlich auf Briefmarken, auf Münzen und bei Gericht, kaum aber im allgemeinen Sprachgebrauch ausdrücklich die Bezeichnung „Republik" verwendet.

Wie groß unsere zweite Nachkriegszeit aber auch den Nachgeborenen erscheinen mag, sie wird doch bestenfalls als die zweitgrößte unter den großen Zeiten Wiens gelten. Die größte war fraglos die Epoche von der Mitte des achtzehnten Jahrhunderts bis zu den Napoleonischen Kriegen: im Barock mündeten Idee und Wirklichkeit ineinander — und Ganzheit kam auch von Wien aus in die Welt, als hier die symphonische Musik entstand.

Barock und symphonische Musik in enger Nachbarschaft sind außerhalb der Ringstraße zu Hause, an einem etwas größeren zweiten Bogen. Er wird „Lastenstraße" genannt, doch wird man diesen Namen vergeblich auf den Straßentafeln suchen. Er gilt auch als die „Zweierlinie", obwohl die Straßenbahnlinie „2" längst nicht mehr verkehrt. Da ist, nahe der Oper, der Karlsplatz, ein großes, kaum recht begrenztes Areal mit etlichen Attraktionen, etwa den Jugendstil-Stadtbahn-Stationen des großen Architekten Otto Wagner, hier ist das Museum der Stadt Wien, das sich vor neugierigen Blicken hinter Bäumen versteckt. Hier ist viel Grün, hier hat die bildende Kunst zwei Wohnstätten: Künstlerhaus und Sezession, hier sind wir der Musik im Musikverein, im Konzerthaus, in der Musikakademie benachbart, hier ist die Karlskirche. Was immer diesem Platz angetan wurde, wird oder werden sollte: die Karlskirche liegt unzerstörbar ideal wie das zentrale Schau-Objekt einer Ausstellung, so sehr auf diese Placierung hin konzipiert, als wär's der Sinn eines Gotteshauses nicht so sehr, aufgesucht, sondern vor allem angeschaut zu werden, als bestände der Gottesdienst im Anblick, als erfüllte sich das Wesen der Kirche in ihrer „Kuppel an sich"; denn die Karlskirche ist nicht viel mehr als eine Lage und eine Kuppel, die durch zwei römische Trajans-Säulen und zwei Türmchen attraktiv flankiert wird.

Nah von hier in diesen kommunizierenden „Platz"-Gefäßen ist der Schwarzenbergplatz mit der einzigen Verunstaltung Wiens, an der Wien unschuldig ist: dem künstlerisch verunglückten, aber durch Staatsvertrag oktroyierten Russen-Denkmal, das die Sicht auf das Palais Schwarzenberg behindert. Von hier aus steigt das Terrain zu einem jener sachten Hügel an, die Gesicht und Bild der Stadt so bedeutsam gliedern und beleben. Dieser Hügel hier — wir gehen vom Stadtzentrum annähernd südwärts — ist der wichtigste. Denn auf seiner Höhe, ganz nah vom Südbahnhof, liegt das Schloß Belvedere, in einen strengen, fast asketischen Garten gestellt, der terrassenartig abfällt, mit zwei Gartenfronten von verschiedenem, doch gleich vollendetem Charakter — ein Palast mit zwei Vorderfronten, deren der Stadt und den Terrassen zugekehrte durch den Ausblick privilegiert ist. Noch mitten in der Stadt, sieht man doch die Stadt da unten vor sich bis zum Saum der Wienerwald-Silhouetten — als wäre nicht das Belvedere hierher gestellt, um den Blick zu ermöglichen, sondern als wären Stadt und Umgebung eigens raffiniert von diesem Schaupunkt aus komponiert worden.

Karlskirche — Belvedere — die Nationalbibliothek im Hofburg-Komplex mit ihrem großen Fest-, Pracht- und Prunksaal, der jedem irgendwie bekannt vorkommt, weil er so oft gefilmt, photographiert, gezeichnet und aufgezeichnet wurde — und das Schloß Schönbrunn: sie würden genügen, um die Stadt als schöne Stadt in den Adelsstand zu erheben.

Wenn wir die Darstellung, die vom Zentrum her dem Rand zustrebt, wieder unterbrechen und uns weit westwärts nach Schönbrunn begeben, sind wir dazu durch die Analogie ermächtigt, indem das Schloß Schönbrunn, gleich dem Belvedere, keine Rückseite hat und dadurch seinen weitschichtigen Vetter, das Schloß Versailles mit seiner wenig attraktiven „Stadtseite" zum armen Verwandten degradiert. Die beiden Vorderfronten, Stadt- und Gartenseite von Schönbrunn, sind, wie beim Belvedere, verschieden und nur von der jeweils anderen zu überbieten. Und der Triumph des Perfekten geht hier so weit, daß gartenseitig auf den gegenüberliegenden, wie eigens dazugebauten Hügel eigens ein Pendant: die Gloriette hingestellt ist, ohne irgendeinen real ersichtlichen Zweck als den der Ersichtlichkeit; ein Ruhepunkt des Auges, ein Anblick an sich.

Und wie um die beiden zweifachen Schlösser auch ihrerseits noch in den Rang von Pendants zu erheben, hat auch das Schloß Belvedere ein solches abschließendes, dem Blick schmeichelndes Pendant, das, hier nicht erhöht, sondern unten, als verkleinerte Replik des Palastes den asketischen Garten würdig und schlicht abschließt.

Damit sind wir wieder dem Zentrum, dem „Ring" und der „Zweierlinie" nahe gekommen, dem Kern von Wien, der „Stadt". Wir befinden uns innerhalb der mit einstelligen Zahlen bezeichneten inneren Bezirke. Schloß und Park Belvedere liegen an der Grenze des dritten und vierten Bezirks. Es schließen sich „chronologisch" fünfter bis neunter Bezirk an, längst ganz städtisch und doch noch mit sehr vielen Relikten einstiger Dörflichkeit, indem zum Beispiel mancher dieser Bezirke noch seine eigene „Hauptstraße" hat. Und so ist in gewissem Sinn der erste Bezirk von Wien tatsächlich „die Stadt" von einst geblieben, mit der sich in fließendem Übergang, doch noch einigermaßen autonom, andere Gemeinden vereinigen, andere kleine Städte oder Dörfer oder Täler oder Auen, etwa die Leopoldstadt (der zweite Bezirk), Floridsdorf (der einundzwanzigste Bezirk), die Brigittenau (der zwanzigste Bezirk).

Der zweite und der zwanzigste Bezirk nehmen eine Sonderstellung ein, indem sie sich auf einer Insel befinden. Sie wird außen von der Donau und in Stadtnähe vom Donaukanal begrenzt, der oberhalb Wiens die Donau verläßt und unterhalb Wiens zu ihr zurückkehrt. Was hätte aus diesem halbwegs stattlichen, in der Größe etwa der Spree entsprechenden Gewässer werden können, wenn es einen etwas attraktiveren Namen in die Ehe mit der Stadt Wien mitgebracht hätte! Zauber, Stimmung, Poesie und Traulichkeit, die er zweifellos auch besitzt, wären dem Donaukanal sicherlich in Gedichten und Liedern nachgerühmt worden, er wäre populär und legendär, und er hat sich das alles durch seinen Namen verscherzt. Einen Kanal besingt man nicht.

Die Gesichtslosigkeit der Insel von heute kommt daher, daß Leopoldstadt und Brigittenau einst ein vorwiegend von Juden bewohntes Viertel waren. Eindringlich hat die Wiener Dichterin Ilse Aichinger in dem Roman „Die größere Hoffnung" diese Welt ein letztes Mal beschworen und ihr Ende in der Zerstörung einer Brücke von der Leopoldstadt zur „Stadt" hinüber symbolisiert.

Längst sind diese Donaukanal-Brücken wieder aufgebaut, aber immer noch ist es nicht ganz ersichtlich, wohin sie von der „Stadt" aus führen. Ganz allmählich erst ersteht hier aus dem Vakuum ein neues, modernes Viertel, ein Zentrum neben dem Zentrum. Ein bedeutsamer Schritt in diese Richtung war die städtebauliche Umgestaltung des Platzes „Praterstern". Hier zeigt sich das Gesicht des neuen Wien im Anspruch auf großzügige Lösungen; allerdings sind immer wieder vor allem die Fahrbahnen, die Grünflächen, die Gehsteige, die Unterführungen wohlgelungen, Beleuchtungskörper und Häuser sind immer wieder umstritten.

Doch rund um den Praterstern dominieren die Häuser nicht. Hier vollzieht sich der Übergang von der Stadt in den Prater, der noch zur Stadt gehört und doch schon Ferne ist, Geheimnis, Landschaft, an einem städtischen Platz beginnend und weit über die Stadt hinauswirkend.

Der Prater ist kein Park, kein Garten, kein Wald, keine Au, kein Rummelplatz, er ist eine unverwechselbare Synthese all dieser Elemente, so groß, daß der Wurstelprater mit Buden, Ringelspielen, Schießstätten, Grottenbahnen, Achterbahnen, dem Riesenrad und vielen, vielen anderen Attraktionen samt einer Fülle von Restaurants, Gastgärten und Erfrischungsbuden zwar eine ganze Welt für sich und doch nur ein kleiner Sektor des Praters ist, daß auch zwei Rennplätze, das große Stadion für fast hunderttausend Zuschauer mit seinem schönen Schwimmbad, das Ausstellungsgelände um die heute noch so genannte „Rotunde" (obwohl sie längst nicht mehr rund ist) als kaum erheblich in diesem Riesenareal verschwinden, wo Wiesen, Alleen, Auen, Gewässer sich bis zur Donau hinziehen, wo man sich nach einigen Autominuten fern von der Stadt und wie verwunschen fühlt.

Hier weit draußen endlich, am Ufer der mächtigen Donau, ist die erste Begegnung Wiens mit seinem Strom: im Verlassen der Stadt segnet er sie — hier scheinen Berge und Hügel vergessen, hier ist die große Ebene, in die Wien hineinreicht, hineinwächst, in die der Strom eintritt, nachdem er oberhalb der Stadt die Grenze zwischen dem Ende der Alpenkette und der ersten Karpatenerhebung markiert hatte, hier ist Auland, Stromland, Weite. Man hat einmal gesagt (und zitiert den Ausspruch heute noch gern), daß der Balkan ein paar Schritte weit vom Wiener Schwarzenbergplatz im dritten Bezirk beginne. Man könnte ebensogut sagen, daß Wien noch ganz zu Mitteleuropa, doch der Prater schon zu Osteuropa gehöre.

Der zitierte Übergang ins Balkanische (der Ausspruch wird dem Staatskanzler Metternich zugeschrieben) findet „auf der Landstraße" statt. Unnötig zu sagen, daß „die Landstraße" keine Landstraße ist. So heißt vielmehr der dritte Bezirk von Wien, der sehr feudal mit Palästen, Gärten und großstädtischen Verkehrsadern beginnt und allmählich vorstädtisch, dörflich wird, mit jenen spezifischen Straßendorf-Zeilen niedriger Häuser, die Österreichs Osten so östlich machen: also balkanisch.

Man merkt, wie groß diese Stadt ist, wenn man sich von der Ringstraße aus durch diesen dritten Bezirk und dann durch den elften zum riesigen Zentralfriedhof und darüber hinaus zum eleganten Wiener Flughafen begibt. Die Einfahrt von dort in umgekehrter Richtung scheint wenig repräsentabel und ist doch durchaus repräsentativ. Denn die Stadt erschließt sich gleichsam evolutionär, biogenetisch, sie ergibt sich schrittweise aus Dorf und Vorstadt, zeigt ihre ganze anonyme dichtbesiedelte Weite, ehe sie kurz vor dem Ring ihr imperiales Residenz-Gesicht gewinnt. Auch das ist Wien — auf allen Seiten, wo nicht der Gebirgszug des Wienerwalds als Damm wirkt: das unübersehbare graue nichtssagende flache Reservoir der Vorstädte, die Mietskasernenstadt.

Doch selbst da ist Wien nicht ganz konventionell und x-beliebig. Denn gerade in diesen Außenbezirken sehen wir, erstens, die Gemeindewohnbauten, eine Wiener Spezialität besonderer Art. Die Stadtgemeinde hat in den zwanziger Jahren unter sozialdemokratischer Führung, vor allem unter dem großen Bürgermeister Karl Seitz und seinen Mitarbeitern Breitner, Glöckel und Tandler, neben anderen ehrgeizigen und bedeutenden Leistungen auch ihre radikale Wohnungspolitik betrieben. Durch einen Preis-Stop, Mieterschutz genannt, wurden die Mietzinse künstlich niedriggehalten. Wer eine alte Wohnung behalten konnte, wohnte und wohnt seit dem Ersten Weltkrieg so unrealistisch billig wie kaum anderswo. Gleichfalls auf künstlich niedrigem Niveau wurden die gelenkten Mietzinse der von der Gemeinde Wien erstellten neuen Wohnungen gehalten. Die riesigen Wohnblocks waren in ihrer Frühzeit auch architektonisch, nicht nur sozialpolitisch, radikal und revolutionär. Nach 1945 kam es allerdings oft zur Errichtung von Neo-Zinskasernen.

Der Hausbesitz ist in Wien seit 1919 nicht rentabel, daher der pitoyable Zustand vieler älterer Wohnhäuser. Das Nebeneinander aber dieser Vernachlässigung einerseits und kostspieliger nicht gemeindeeigener neuer Wohnbauten andererseits gehört mit zu der persönlichen Note der Stadt.

Inmitten von Häuserzeilen im großen vorstädtischen Menschenreservoir findet sich aber, zweitens, auch immer wieder und überall die alte, bejahrte, ganz lebendige, charakteristische, traditionelle Individualität des betreffenden Stadtteils bewahrt. Hier war nicht — amerikanisch — nichts, ehe die Stadt bis hierher wuchs, hier war, sehr europäisch, ein Ort, ein Dorf, eine Gegend, eine ganz besondere Landschaft, etwa das Lichtental (im neunten Bezirk), wo Schubert geboren wurde, etwa der Ulrichsgrund (im siebenten Bezirk) rund um die Kirche, in der Gluck heiratete, in deren Nähe Joseph Lanner und der jüngere Johann Strauß geboren wurden.

Von ihrem gemeinsamen Zentrum abgesehen, sind die Wiener sehr bewußt Einwohner spezieller Viertel und fühlen sich außerhalb des heimatlichen Dorfs oder Tals oder Grunds wie in der Fremde, wie entwurzelt.

Wir haben längst wieder die systematische Darstellung der Progression vom zweiten zum neunten Bezirk aufgegeben, und es wäre auch unwienerisch, die Stadt pedantisch klassifizierend darzustellen. Wir wollen und müssen nur klarmachen, wie hier die Einheit sich aus Verschiedenartigkeiten gestaltet; dies findet auch literarisch seinen Niederschlag, man könnte geradezu von einem literarischen Föderalismus innerhalb der Stadt sprechen, indem etwa der große Wiener Arthur Schnitzler nicht etwa „Wien", sondern besondere Bezirke darstellt (mit Vorliebe den heimatlichen achtzehnten), der große neuere Chronist des neueren Wien, Heimito von Doderer, sich liebevoll seiner engeren Heimat, des neunten Bezirks, annimmt. Der erste Bezirk bildet auch in der Literatur den gemeinsamen Nenner.

Eine besondere Rolle innerhalb der einstelligen Bezirke spielt die Mariahilfer Straße (zwischen dem sechsten Bezirk: Mariahilf und dem siebenten: Neubau) als große Einkaufsstraße. Was in der Stadt zu kostspielig scheint, sucht man „in Mariahilf" preiswerter zu finden, und so erreichen hier auch die Jahrmarkt-Orgien kitschiger Straßenbeleuchtung zur Weihnachtszeit ihren Höhepunkt.

Allerdings hat auch in Wien die zentrifugale Tendenz des Warenangebots längst eingesetzt. Man baute riesige Einkaufshallen mit Parkmöglichkeiten und propagiert sie so intensiv und macht sie so attraktiv, daß man bald auch draußen nicht mehr parken können wird.

Nicht ganz ignorieren dürfen wir den achten Bezirk (Josefstadt), weil er zwei herrliche Säle bietet: den Jodok-Fink-Platz vor der Piaristenkirche und das Theater in der Josefstadt, das schönste Theater Wiens, für das Beethoven die „Weihe des Hauses" geschrieben hat, das Max Reinhardt adaptierte — eher in der Form einer Re-Antikisierung als einer Renovierung — und 1924 als sein Wiener Theater eröffnete. Es war damals kühn, architektonisch nicht kühn zu sein; diesem Entschluß danken wir einen zeitlos kostbaren Theatersaal im guten alten Stil.

Mit dem neunten Bezirk: Alsergrund endet der innere Bogen der Bezirke. Hier ist nicht nur die schöne, literarisch von Doderer verewigte Strudlhofstiege bemerkenswert, hier ist ein besonderer Kosmos innerhalb der Stadt, dörflich verwinkelte Gäßchen in der Schubertgegend Lichtental, Großstadtverkehrsadern, Vorstadtgeschäftigkeit und eine Stadt in der Stadt: Universitätsinstitute, Kliniken, Spitäler, ein „akademisches Viertel".

Und wir sind wieder am Donaukanal, von dem der Bogen ausgegangen ist, und erkennen, daß die Topographie gar nicht willkürlich, sondern systematisch ist: um den Kern des ersten Bezirks im Uhrzeigersinn ein Bogen der Bezirke zwei bis neun. Als äußere Begrenzung dieser Bezirke wurde, als Pendant zum „Ring", der „Gürtel" angelegt, ein sehr breiter, großzügiger „äußerer Boulevard", der, unnötig zu sagen, kein wirklicher Gürtel, da nicht in sich geschlossen ist. Außerhalb dieses Gürtels erstrecken sich die Bezirke vom zehnten aufwärts, wieder „chronologisch" im Bogen. Lange Zeit einundzwanzig an der Zahl, sind sie erst sehr spät um einen zweiundzwanzigsten und dreiundzwanzigsten vermehrt worden.

Und nur zwei, der einundzwanzigste und zweiundzwanzigste Bezirk, liegen jenseits der Donau, die noch lange nicht wirklich zur Stadt gehört, die überdies durch eine breite unbebaute Lände, das „Überschwemmungsgebiet", isoliert wird. Für alle, die nicht Anwohner sind, ist die Donau weit draußen, nicht Bestandteil der Stadt, sondern fernes Ziel. Hier ist vorläufig nur theoretisch, nur amtlich Wien, hier ist erst allmählich organisch ein echter Teil der Stadt im Entstehen, vorläufig aber findet sich jenseits der Donau ein Nebeneinander von Inseln derartiger künftiger Großstädtischkeit, Industrie, Siedlungen im Meer von Flachland, Vorort, Dorf und dem Paradies der Auen und Gewässer, allem voran dem Super-Schwimmbad „Gänsehäufel".

Mit diesem Sprung über die Donau sind wir auf unserem Weg durch Wien schon wieder weit über das nächstliegende Ziel hinausgelangt. Wir waren eben erst beim Gürtel, der die inneren, einstelligen Bezirke zu gürten hätte, sie aber nur in großem, unvollendetem Bogen von den zweistelligen Bezirken scheidet.

Jenseits dieses Gürtels wird zwar die fortschreitende topographische „Chronologie" im Uhrzeigersinn wieder gewahrt, doch die schon bisher mehr als problematische Einheit und Einheitlichkeit der Stadt steigert sich zur Orgie der Vielfalt. Und das kommt daher, daß die Stadt Wien an einem Rand liegt, daß sich nach Ringstraße und Gürtel ein äußerster Bogen: das Gebirge vom Nordwesten zum Süden der Stadt hin rundet, sie von den Weinbergen bei Nußdorf bis zu den Weinbergen bei Perchtoldsdorf einschließt und zur großen Ebene im Norden, Osten, Süden hin öffnet.

Die Alpen reichen von Frankreichs Mittelmeerküste bis Heiligenstadt, Nußdorf, Grinzing, Sievering, Salmannsdorf, Neuwaldegg, Hütteldorf, Lainz, Mauer, Perchtoldsdorf. Die osteuropäische Tiefebene reicht vom Ural bis zum Prater, bis Schwechat, Kaisermühlen, Floridsdorf, Stadlau. Die Alpen fallen mit der „Nase" des Leopoldsbergs steil zur Donau hin ab. Die Karpaten entsenden an das jenseitige Donau-Ufer einen äußersten Gesandten: den Bisamberg, der aber die Ebene nur auflockert, nicht wirklich unterbricht.

Die Miniaturberge des Wienerwalds senken sich der Stadt entgegen, gliedern ihre Außenposten in Täler mit Dorfstraßen zwischen Weinbergen, die sich viel Eigenständigkeit und Beschaulichkeit bewahrt haben, wenn auch einigermaßen bewußt zum Zweck der attraktiven Anschaubarkeit. Denn hier in den Vorstädten der Himmelsrichtungen namens „Franz-Josef", „Westen" und „Süden" ist der „Heurige" daheim, der gleichnamige Ausschank des neuen Weins, der von den Weinbauern selbst abgegeben wird (so will es wenigstens das Prinzip). Wo dieser „Heurige" (das Lokal) echt ist, muß er primitiv, fast archaisch sein, mit hölzernen Tischen und Bänken im ansteigenden Garten und einem primitiven Saal, keine „Gaststätte" wie andere, ohne lautstarke Musik vor allem. Doch der Attraktivität zuliebe wird der „Nobel-

heurige" so zugerichtet, wie unkundige Gäste ihn anzutreffen wünschen, mit künstlicher „Stimmung" und zuviel Musik.

Die Häuser aber, ihre Höfe, die engen Gäßchen dort draußen sind echt, sind sehr einig mit der Landschaft; sie ist sanft und freundlich, Beethovens „Pastorale" hat sie gleichsam mitgeschrieben, sie ist vermutlich schuld an der Legende von der Wiener Weichheit und Holdseligkeit. Gleich hinter der zudringlichen Musik-Kulisse wartet sie — ein wenig höher nur muß man steigen oder fahren, auf den Kobenzl, Kahlenberg, Leopoldsberg, zum Hermannskogel, zum „Häuserl am Roa", und von hier hinunter auf die ausgebreitete Stadt schauen. So sah die Entsatzarmee anno 1683 die Stadt, ehe sie zur Entscheidungsschlacht hinunterstieg, als Wien, von den Türken belagert, nicht zum ersten- und nicht zum letztenmal das Abendland rettete.

Immer wieder hat hier in und um Wien die Geographie Geschichte gemacht, immer wieder war hier ein Außenposten, ein Zentrum am äußersten Rand, schon zur Zeit der Römer reichte das zivilisierte Europa gerade bis Wien.

Damals hieß der Platz „Vindobona". Der Name ist angeblich von dem Stamm der Wenden abgeleitet, dürfte aber viel eher mit dem traditionellen, überaus heftigen Wiener Wind zusammenhängen, einem anderen, zweifelhaften, Geschenk der geographischen Lage an die Stadt.

Nein, die Bezirke außerhalb des Gürtels lassen sich nicht in eine sinnvolle Einheit binden oder pressen. Wien ist keine Stadt, sondern eine Art „Vereinigte Dörfer". Da sind etwa zwei rivalisierende, autonome und verschiedene Zentren des gutbürgerlichen Wohnens, die Villenviertel alten Stils: Döbling und Währing einerseits, die Schnitzlergegend, und andererseits Hietzing-Lainz, an den Park von Schönbrunn anschließend; und in manchen stillen Oasen dort draußen meint man, die Zeit des späten Kaiserreichs wäre noch lebendig und wäre eine gute Zeit gewesen.

Jenseits des Gürtels, nahe vom Westbahnhof, liegt auch die große Wiener Stadthalle, architektonisch überraschend wohlgelungen, ein großer Komplex mit Hallen und Sälen aller Art für Veranstaltungen vom Radrennen über „Hair" und Peter Alexander bis zur Mahler-Symphonie.

Es ist durchaus richtig und stimmend, daß eine Wiener Stadthalle vornehmlich den künstlerischen und sportlichen Darbietungen gewidmet ist und daß sich die Stadtgemeinde in ihrem Streben, die Regierung über die Wiener Bevölkerung auszuüben und zu festigen, gerade diese Veranstaltungen in der für die Stadt repräsentativen Halle angelegen sein läßt. Denn in Wien sind „Circenses" tatsächlich das tägliche Brot. Überwindung und Negation der Realität geschahen hier immer schon im Spiel und Pomp, sei es das Theater, die Musik, sei es, daß Ball gespielt wird oder Bälle veranstaltet werden, sei es, daß Prozessionen stattfinden: am Fronleichnamstag, am Ersten Mai, sei es, daß mit Worten und Gedanken gespielt wurde und wird.

Pomp und Spiel und Sport und alles erhaben Zwecklose standen und stehen hier höher im Kurs und stärker im Mittelpunkt als anderswo. Wenn ein Burgschauspieler der oberen Rangklasse gestorben ist, wird der Sarg in feierlicher Prozession um das Burgtheater getragen — mit Rücksicht auf diese Zeremonie wird der Verkehr von der Ringstraße abgelenkt — und niemand in Wien staunt darüber oder findet diese Maßregel übertrieben. Künstlerische und sportliche Anlässe, Ereignisse und Affären geben hier häufig Stoff für Schlagzeilen der Tageszeitungen, sind weit intensiver Bestandteil des Stadtgesprächs als anderswo. Die Bevölkerung der Stadt Wien setzt sich aus einem Publikum von annähernd zwei Millionen Zuschauern zusammen.

Die Zerstörung der Staatsoper durch Bomben und des Burgtheaters durch biwakierende Rotarmisten war Anlaß zur Trauer für die ganze Stadt — die feierlichen Wiedereröffnungen wurden zu Volksfesten — und an der Trauer wie an der Festlichkeit nahmen auch jene innerlich teil, die keines der beiden Häuser zu besuchen pflegen.

Und wenn gelegentlich das innenpolitische Interesse überraschend ansteigt und kurzfristig alles andere verdunkelt, dann ist's angesichts von Wahlen, und diese werden so leidenschaftlich im Radio, im Fernsehen und auf öffentlichen Plätzen verfolgt, weil es sich da gleichfalls um ein Wettspiel mit ungewissem Ausgang handelt. Entgegenkommenderweise haben die beiden großen Parteien, die Roten und die Schwarzen, in den Jahrzehnten der Zweiten Republik dafür gesorgt, daß die Wahl-Circenses spannend blieben, daß der Ausgang ungewiß bleibt — ja, es gab schon zweimal zwei Sieger und zwei Verlierer, indem Rot mehr Stimmen und Schwarz mehr Mandate erhielt.

In jüngster Zeit gesellte sich als neue Spiel-Art zu den traditionellen Spielen, die Wien bewegen, noch das Fernseh-Spiel, das Diskussion, Dokumentation, Information, Reportage sein kann oder Fernsehspiel im engeren Sinn.

Doch die Verbindung zwischen Wien und dem, was Wien bewegt, ist nicht direkt und eindeutig und eingleisig. Denken wir an den Fluß Wien, der so harmlos wirkt und so gefährlich werden kann. Oder: denken wir an jene Wiener, die 1927 den Wiener Justizpalast anzündeten und die Feuerwehren am Löschen hinderten. Denken wir daran, daß auf den Fußballplätzen der Verkauf von Getränken in Flaschen verboten ist, weil das Publikum in seinem Zorn die Flaschen auf das Spielfeld zu werfen pflegte.

Wien ist groß im Protest, im Negieren, im Widerspruch. Auch mit der Kunst, mit dem Sport, mit der Politik ist Wien sehr häufig via Negation verbunden. Selbst die Identität Wiens mit sich selbst nimmt gern die Form des Widerspruchs an, indem Wien sich in Frage stellt. (Ferdinand Kürnberger schrieb nach Franz Grillparzers Begräbnis: „'Solche Dinge sind nur in Wien möglich', lautet die stereotype Redensart, wenn Senatus Populusque Vindobonensis irgendeine himmelschreiende Schufterei, Dummheit oder Taktlosigkeit der staunenden Welt zum besten gegeben hat. Wer aber das sagt, ist wieder — Wien!")

Die angeblich so fröhliche, selige, lebensbejahende, unbeschwerte Stadt ist eine Hauptstadt des Nein-Sagens, eine Stadt, die erstaunlich wenig Selbstbewußtsein und Selbstvertrauen (ins Positive gewendet: erstaunlich viel Selbstkritik) hat: „echt wienerisch", „typisch Wien", anderswo gewiß positive Epitheta, meinen in Wien ohne weiteren Zusatz Kritik an Wien.

Große Wiener Geister waren in bestürzend großer Zahl negativ, destruktiv, abwertend und nur auf Umwegen konstruktiv. Johann Nestroy und Karl Kraus und Ödön von Horváth haben diese Stadt durch satirische Spiegelung literarisch vernichtet und damit verewigt. Arnold Schönberg und Sigmund Freud haben in Wien die Seelenkunde und die Musik des neunzehnten Jahrhunderts liquidiert. Und sie alle und andere, sozusagen alle wahrhaft großen schöpferischen Wiener sind ihrerseits von Wien verkannt, verfolgt, negiert, ignoriert worden.

Seit die Barockbauten und die großen Symphonien vollendet wurden, ist die Größe Wiens im Unvollendeten zu suchen, in der gestörten Relation von Möglichkeit und Verwirklichung, in der versagten Erfüllung, im Hang zum Fragmentarischen. Wiens schöpferische Größe erfüllt sich, wenn überhaupt, gegen Wien oder außerhalb Wiens. Die Stadt der Zwölftonmusik und der Psychoanalyse hat vermutlich eine kleinere Rate von Zwölftonkomponisten und Psychoanalytikern als die anderen Großstädte der Musik und der Tiefenpsychologie.

Dafür ist auch heute noch die Zahl der Kaffeehäuser beträchtlich. (Wer das wienerische Klagelied vom Kaffeehaus-Sterben zu glauben geneigt wäre, der ziehe das stets aufschlußreiche Wiener Telephonbuch zurate!) Und auch die weithin bekannte Schlamperei und Desorganisation sind nach wie vor in Wien zu Hause.

Zwischen diesen beiden Feststellungen besteht ein Zusammenhang; von ihm her muß man Wien verstehen lernen.

Die besondere vindobonensische Schlamperei und Desorganisation sind nicht wie ihre Parallelerscheinungen in anderen Sphären Ausdruck der Unfähigkeit, Ordnung herzustellen und Präzision zu verwirklichen, sondern Ausfluß der Unwilligkeit, sich der entsprechenden Fähigkeiten zu bedienen.

Wien hat mehrfach bewiesen, daß es arbeitsam und tüchtig sein kann. (Zuletzt in der harten Bewährung nach dem Zweiten Weltkrieg, unter dem tatkräftigen Bürgermeister der Notzeit, Theodor Körner, und im Wiederaufbau der Stadt bei schwerster äußerer und innerer Behinderung.) Wien kann, wenn es will — besser: Wien könnte, wenn es wollte. Aber Wien will nicht immer wollen. Wien begnügt sich gern mit dem Bewußtsein, daß es könnte. Die Möglichkeit setzt sich absolut und steht für die Verwirklichung. Die Idee ersetzt das Ergebnis. Es geht auch so. Und die simple Tatsache, daß Wien, während diese Zeilen geschrieben und gelesen werden, existiert, als vergleichsweise prosperierende Hauptstadt einer überaus stabilen Republik, mit (unter anderem) einem vergleichsweise hohen Stand der sozialen Gerechtigkeit, einem Minimum an innenpolitischer und sozialer Unruhe, dies alles bestätigt triumphal dieses wienerische „Es geht auch so".

Andernorts ist die Freizeit eine willkommene Unterbrechung der Arbeit. In Wien ist die Arbeit eine unwillkommene Unterbrechung der Freizeit. Das Wichtigste aber ist das Spiel, das Spiel der Gedanken, gefördert durch den Wein beim Heurigen, durch den Kaffee im Kaffeehaus. Im Kaffeehaus leben die Gedanken und begegnen einander im Spiel mit der Wirklichkeit. Manchmal wird ein Wiener aus dem Kaffeehaus herausgeholt und wird ein bedeutender Mann. Meist begnügt er sich aber mit der konjunktivischen Lebenshaltung: man sollte, man müßte, man könnte. Meist sagt er nein zu seiner Umgebung, zu Wien, zu sich selbst. Wenn er sein Nein aufschreibt oder komponiert oder malt oder in ein System bringt, hat die Welt Glück gehabt. Meist aber erfüllt er sich im Gedankenspiel, bestenfalls im Witz.

Drum gehen die Wiener so ungern fort von Wien. Denn sie wollen Wien negieren. Und in der Fremde sind sie genötigt, sich nach Wien zu sehnen, also Wien zu bejahen. Sie alle, die fern von Wien sind, denken mit einem besonderen Heimweh an ihre Stadt: sie möchten gern zu Hause sein, um wieder gegen Wien zu sein. Sie möchten wieder dort sein, wo sie zwar nicht glücklich, aber auf angenehmere, lustvollere Weise und in bester Gesellschaft unglücklich sein können.

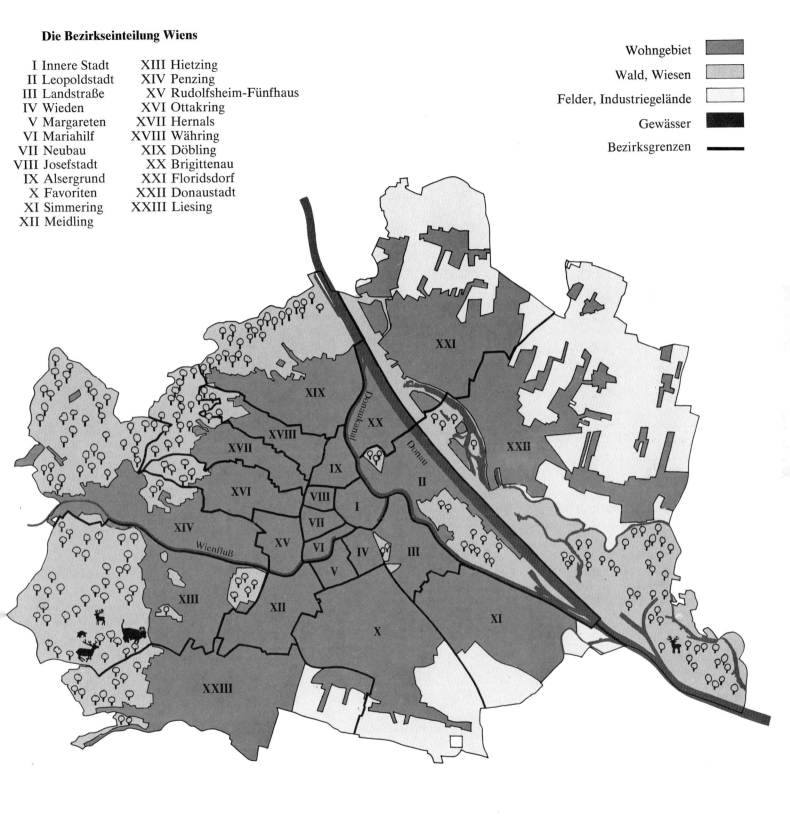

Die Bezirkseinteilung Wiens

I Innere Stadt	XIII Hietzing
II Leopoldstadt	XIV Penzing
III Landstraße	XV Rudolfsheim-Fünfhaus
IV Wieden	XVI Ottakring
V Margareten	XVII Hernals
VI Mariahilf	XVIII Währing
VII Neubau	XIX Döbling
VIII Josefstadt	XX Brigittenau
IX Alsergrund	XXI Floridsdorf
X Favoriten	XXII Donaustadt
XI Simmering	XXIII Liesing
XII Meidling	

Wohngebiet

Wald, Wiesen

Felder, Industriegelände

Gewässer

Bezirksgrenzen

Einige Daten zu Wien

Die Bundeshauptstadt Wien ist Bundesland und Gemeinde zugleich. Demnach ist der Bürgermeister zugleich Landeshauptmann, der Stadtsenat Landesregierung, der Gemeinderat Landtag. Der Gemeinderat hat 100 Mitglieder, die alle fünf Jahre gewählt werden.

Stadtgebiet: 414 km² Fläche, 133 km Umfang.
Stephansplatz: 48° 14' 54" nördlicher Breite, 16° 21' 42" östlicher Länge, 171 Meter über der Adria.
Tiefster Punkt: Lobau, 151 Meter.
Höchster Punkt: Hermannskogel, 542 Meter.
Einwohnerzahl: 1,614.841, davon weiblich 902.473, männlich 712.368 (Volkszählung 1971).
Insgesamt 804.283 Wohnungen, davon 200.140 in städtischer Verwaltung.

Kultur:
14 Theater, 7 Konzertsäle, 13 Kleinbühnen, 93 Kinos, 17 Staatliche Museen, 14 Städtische Museen, 26 sonstige Museen, 8 Sammlungen der Nationalbibliothek, 21 Schauräume.
Bibliotheken:
Nationalbibliothek mit 2,18 Millionen Bänden, Universitätsbibliothek mit 1,81 Millionen Bänden, Bibliothek der Techn. Universität mit 367.000 Bänden, Wiener Stadt- und Landesbibliothek mit 289.000 Bänden, Städtische Büchereien mit 654.000 Bänden.
Im Schuljahr 1975/76:
241 Volksschulen, 136 Hauptschulen (einschl. Polyt. Lehrgänge), 44 Sonderschulen, 35 Berufsbildende Pflichtschulen, 78 Mittlere Fachschulen, 26 Berufsbildende Höhere Schulen (einschl. Pädagogische Akademien), 79 Allgemeinbildende Höhere Schulen, Universität, Technische Universität, Wirtschaftsuniversität, Universität für Bodenkultur, Veterinärmedizinische Universität, Kunsthochschulen, Konservatorium der Stadt Wien, 14 Volkshochschulen.

Erholung:
109 Sportplätze mit 4,33 Millionen m², 662 Spiel- und Tennisplätze mit 1,24 Millionen m², 6 städt. Schwimmhallen, 25 städt. Warmbadeanstalten, 15 städt. Sommerbäder, 32 Kinderfreibäder. Lainzer Tiergarten mit 25 km², öffentliche Gartenanlagen mit 17,4 km².
Fremdenverkehr:
275 Hotels und Pensionen, 3,6 Millionen Übernachtungen, davon 3,1 Millionen Ausländer.
Verkehr:
485.000 zugelassene Kraftfahrzeuge, davon 404.000 PKW. Flughafen Wien-Schwechat: 43.000 An- und Abflüge, 2,2 Millionen Passagiere.
Donauschiffahrt: 148.000 Passagiere.
Wirtschaft:
Bruttoproduktion 1975 der Wiener Industrie insgesamt 59,4 Mrd. S; Unselbständig Beschäftigte (Ende 75) 784.000.

Zahlen vom Statistischen Amt der Stadt Wien. Stand 1975.

1 Barocke Bauten in der Wiener Innenstadt: Kurrentgasse.
2 Altbauensemble mit Teilen aus der Gotik: Griechengasse.
3 Einer der ältesten Stadtteile Wiens: Blutgasse.
4 Vogelschauplan der Stadt Wien von Joseph Daniel Huber, 1769.
5 und 6 Stephansdom, Mittelschiff.

Die Stephanskirche stammt in ihren Anfängen aus der ersten Hälfte des 12. Jahrhunderts. Der gotische Bau entstand im wesentlichen im 14. und im 15. Jahrhundert, der 136,7 m hohe Südturm wurde 1433 vollendet.

1 Baroque buildings in the centre of Vienna: Kurrentgasse.
2 Old buildings, partly Gothic: Griechengasse.
3 One of the oldest quarters of Vienna: Blutgasse.
4 Bird's eye view of the city of Vienna by Joseph Daniel Huber, 1769.
5 and 6 St. Stephen's Cathedral, nave.

St. Stephen's goes back to the first half of the 12th century. The Gothic structure was built mainly in the 14th and 15th centuries, the 136.7 metre South tower was completed in 1433.

1 Bâtiments baroques dans le centre de la ville de Vienne: Kurrentgasse.
2 Ensemble de bâtiments anciens de style gothique: Griechengasse.
3 Un des quartiers les plus anciens de Vienne: Blutgasse.
4 Vue à vol d'oiseau de la ville de Vienne de Joseph Daniel Huber, 1769.
5 et 6 Cathédrale Saint-Etienne, nef centrale.

Les débuts de la construction de l'église Saint-Etienne datent de la première moitié du 12ème siècle. L'église obtint surtout son caractère gothique durant les 14ème et 15ème siècles; la tour Sud haute de 136,7 mètres fut terminée en 1433.

1 Costruzioni barocche nel centro storico di Vienna: Kurrentgasse.
2 Gruppo di antichi edifici con elementi gotici: Griechengasse.
3 Uno dei più antichi quartieri di Vienna: Blutgasse.
4 Piano a volo d'uccello della città di Vienna di J. D. Huber, 1769.
5 e 6 Duomo di Santo Stefano, navata centrale. L'inizio della chiesa di

Santo Stefano risale alla prima metà del secolo XII. La parte gotica fu costruita principalmente nei secoli XIV e XV, la torre sud, alta 136,7 metri fu completata nel 1433.

1

2   3

7 Bürgerhaus „Zum blauen Karpfen" (Annagasse 14), Bauwerk des 17. Jahrhunderts mit klassizistischer Fassade (1814).

8 Im barocken Bürgerhaus Bäckerstraße 16 befand sich im vorigen Jahrhundert ein Gasthaus mit dem Namen „Schmauswaberl".

9 Portal der „Böhmischen Hofkanzlei", Wipplingerstraße 7, erbaut 1708—1714 nach Plänen von Johann Bernhard Fischer von Erlach.

10 Portal des Palais Erdödy-Fürstenberg, Himmelpfortgasse 13, erbaut um 1724, Architekt unbekannt.

11—14 Barocker Fassadenschmuck an Wiener Bürgerhäusern.

15 Renaissance-Portal der Salvatorkirche, Salvatorgasse 5.

16 Das Palais Obizzi am Schulhof, Ende des 17. Jahrhunderts im barocken Stil errichtet, beherbergt das Uhrenmuseum der Stadt Wien.

17 Treppenhaus des Palais Kinsky, Freyung 4, 1713—1716 von Johann Lukas von Hildebrandt für Generalfeldzeugmeister Graf Daun erbaut.

7 Burgher's house "Zum blauen Karpfen" (At the sign of the Blue Carp —Annagasse 14), 17th century building with Classicist façade (1814).

8 During the last century the Baroque burgher's house Bäckerstraße 16 housed an inn by the name of "Schmauswaberl" (Feast-wench).

9 Portal of the "Bohemian Court Chancellery", Wipplingerstraße 7, built 1708—1714 to plans by Johann Bernhard Fischer von Erlach.

10 Portal of Palais Erdödy-Fürstenberg, Himmelpfortgasse 13, built ca. 1724 by an unknown architect.

11—14 Baroque decorations on Viennese burghers' houses.

15 Renaissance portal of the Salvator Church, Salvatorgasse 5.

16 Palais Obizzi on Schulhof, built towards the end of the 17th century in Baroque style, houses the Clock Museum of the City of Vienna.

17 Entrance hall of Palais Kinsky, Freyung 4, built 1713—1716 by Johann Lukas von Hildebrandt for commander-in-chief Graf Daun.

7 Maison bourgeoise baroque «A la carpe bleue», Annagasse No 14, bâtiment du 17ème siècle à façade classique (1814).

8 Dans la maison baroque au No 16 de la Bäckerstraße se trouvait au siècle dernier une auberge du nom de «Schmauswaberl» (bonne femme gourmande).

9 Portail de la Chancellerie de Bohème, Wipplingerstraße No 7, construite de 1708 à 1714 d'après les plans de Johann Bernhard Fischer von Erlach.

10 Portail du palais Erdödy-Fürstenberg, Himmelpfortgasse No 13, construit en 1724, architecte inconnu.

11—14 Décorations baroques des façades de maisons bourgeoises de Vienne.

15 Portail de style Renaissance de l'église du Saint-Sauveur, Salvatorgasse No 5.

16 Le palais Obizzi sur le Schulhof, construit dans le style baroque à la fin du 17ème siècle, renferme le Musée des Horloges de la Ville de Vienne.

17 Escalier du palais Kinsky, Freyung No 4, construit de 1713 à 1716 par Johann Lukas von Hildebrandt pour le comte Daun, général en chef des armées.

7 Casa «Zum blauen Karpfen» (alla carpa blu), Annagasse 14, costruzione del secolo XVII con facciata classicista (1814).

8 Nel secolo scorso in questa casa borghese barocca nella Bäckerstraße 16 c'era un'albergo che portava il nome «Schmauswaberl».

9 Portale della «Böhmische Hofkanzlei» (Cancelleria di Corte Boema) nella Wipplingerstraße 7 costruito nel 1708—1714 su progetto di Johann Bernhard Fischer von Erlach.

10 Portale del Palazzo Erdödy-Fürstenberg nella Himmelpfortgasse 13 costruito intorno al 1724 da un architetto sconosciuto.

11—14 Ornamento barocco di facciata delle case borghesi viennesi.

15 Portale rinascimentale della Salvatorkirche nella Salvatorgasse 5.

16 Il Palazzo Obizzi nello Schulhof, costruito alla fine del secolo XVII in stile barocco, ospita il museo degli orologi della città di Vienna.

17 Vano delle scale del Palazzo Kinsky nella Freyung 4 costruito nel 1713—1716 da Johann Lukas von Hildebrandt per il generale d'armata conte Daun.

7

8

10

1

12

3

14

15

23

Wichtige und bedeutende Bauwerke und Institutionen befinden sich im Bereich der Gesamtanlage der Wiener Hofburg: der Leopoldinische Trakt, der Schweizerhof mit dem Renaissanceportal, die spätgotische Burgkapelle, die Weltliche und die Geistliche Schatzkammer, die Stallburg, die Österreichische Nationalbibliothek, die Winterreitschule, der Michaelertrakt, die Redoutensäle.

18 Krone des Heiligen Römischen Reiches, aus der zweiten Hälfte des 10. Jahrhunderts. Sie befindet sich in der Weltlichen Schatzkammer.
19 Schauräume im Burgtrakt der „Reichskanzlei".
20 Blick vom Turm des Rathauses zur Neuen Burg.
21 Der Platz „In der Burg" mit dem Denkmal des österreichischen Kaisers Franz I. (als römisch-deutscher Kaiser bis 1806 Franz II.).
22 Österreichische Nationalbibliothek, vormals Hofbibliothek, erbaut 1723—1726 von Vater und Sohn Fischer von Erlach. Prunksaal, mit Deckenfresken von Daniel Gran.
23 Vorführung der Spanischen Reitschule in der von Joseph Emanuel Fischer von Erlach erbauten Winterreitschule in der Burg.

The Wiener Hofburg encompasses many important buildings and institutions: the Leopold Wing, the Swiss courtyard with the Renaissance portal, the late Gothic court chapel, the Temporal and Spiritual Treasury, the Stallburg, the Austrian National Library, the Winter Riding School, the Michaeler Wing, the Redoutensäle.

18 Crown of the Holy Roman Empire, second half of the 10th century. It is kept in the Temporal Treasury.
19 Ceremonial rooms in the "Imperial Chancellery" Wing.
20 View from the Town Hall tower towards the Neue Burg.
21 Square "In der Burg" with the memorial of Austrian Emperor Franz I (until 1806 Franz II as Holy Roman Emperor).
22 Austrian National Library, former court library, built 1723—1726 by Fischer von Erlach father and son. Ceremonial hall, with ceiling frescoes by Daniel Gran.
23 Performance of the Spanish Riding School in the Winter Riding School in the Burg built by Joseph Emanuel Fischer von Erlach.

Des bâtiments et des institutions notables et importants se trouvent dans le complexe de la Hofburg: l'aile Léopold, la Cour des Suisses, la chapelle du château, le Trésor profane et religieux, la Stallburg, la Bibliothèque Nationale Autrichienne, le manège d'hiver, l'aile de Michael, la salle des Redoutes.

18 Couronne du Saint Empire Romain de la 2ème moitié du 10ème siècle. Elle se trouve dans le Trésor de la Couronne.
19 Les appartements dans l'aile de la «Chancellerie d'Empire».
20 Vue de la tour de l'Hôtel de Ville vers le Nouveau Burg.
21 Place «In der Burg» avec le monument de l'empereur d'Autriche François I (empereur romain-germanique jusqu'en 1806 sous le nom de François II).
22 Bibliothèque Nationale Autrichienne, autrefois Bibliothèque de la Cour, construite de 1723 à 1726 par les Fischer von Erlach, père et fils. Grande salle avec fresques de plafond de Daniel Gran.
23 Représentation de l'Ecole d'Equitation Espagnole dans le manège d'hiver construit dans le Burg par Joseph Emanuel von Erlach.

Importanti e significativi edifici ed istituzioni sorgono nell'ambito della Wiener Hofburg (residenza imperiale): l'ala leopoldina; lo Schweizerhof con il portale rinascimentale; la cappella di corte che risale alla tarda epoca gotica; il Tesoro Profano e Sacro; la Stallburg la Biblioteca Nacionale Austriaca; la Scuola d'Equitazione d'Inverno; la Michaelertrakt (l'ala verso la Michaelerplatz); le Redoutensäle.

18 Corona del Sacro Romano Impero della seconda metà del secolo X. Si trova nel Tesoro di Corte profano.
19 Sale nell'ala della Burg che ospitava la cancelleria imperiale.
20 Vista panoramica dalla torre del Municipio verso la Neue Burg.
21 La piazza «In der Burg» col monumento all'Imperatore Austriaco Francesco I (fino al 1806, come Imperatore Romano — Germanico, Francesco II).
22 Biblioteca Nazionale Austriaca, una volta sede della Biblioteca di Corte, costruita nel 1723—1726 dagli architetti Fischer von Erlach padre e figlio. Sala di rappresentanza con affreschi sulla volta di Daniel Gran.
23 Rappresentazione della Scuola Spagnola d'Equitazione nella sede della Scuola d'Equitazione d'Inverno costruita da Joseph Emanuel Fischer von Erlach all'interno della Burg.

18

19

Zu den Bauwerken, die Wiens Stadtbild mitprägen, gehören viele Kirchen, vor allem aus der Zeit der Gotik — außer der Stephanskirche z. B. Maria am Gestade, Michaelerkirche, Minoritenkirche — und der Barockzeit. Das Stadtbild bestimmen auch die beiden 1872—1881 erbauten großen Museen am Ring mit ihren markanten Kuppeln.

24 Kunsthistorisches Museum, Gemäldegalerie.
25 Naturhistorisches Museum.
26 Kunsthistorisches Museum, Stiegenhaus mit Decken- und Wandgemälden von Michael Munkáczy, Hans Makart, Franz Matsch, Gustav und Ernst Klimt und Antonio Canova.
27 und 28 Peterskirche, erbaut 1703—1708 nach Plänen von Gabriele Montani; Kuppel und Innenraum.
29 und 30 Karlskirche, erbaut 1716—1739 von Vater und Sohn Fischer von Erlach; Kuppel und Innenraum.
31 Piaristenkirche, erbaut zwischen 1716 und 1753 nach Plänen von Johann Lukas von Hildebrandt; Innenraum mit Deckengemälde von Franz Anton Maulbertsch.

Among the buildings which determine the face of the city there are many churches, mainly from the Gothic period—beside St. Stephen's, e.g. Maria am Gestade, St. Michael's, Minoritenkirche—and from the Baroque. The skyline is also dominated by the two large museums on the Ring with their characteristic cupolas, built 1872—1881.

24 Museum of Art History, picture gallery.
25 Museum of Natural History.
26 Museum of Art History, entrance hall with ceiling and wall painting by Michael Munkáczy, Hans Makart, Franz Matsch, Gustav and Ernst Klimt, and Antonio Canova.
27 and 28 St. Peter's, built 1703—1708 to plans by Gabriele Montani; cupola and interior.
29 and 30 St. Charles', built 1716—1739 by Fischer von Erlach father and son; cupola and interior.
31 Piarist Church, built between 1716 and 1753 to plans by Johann Lukas von Hildebrandt; interior with ceiling painting by Franz Anton Maulbertsch.

Aux bâtiments qui donnent à Vienne son caractère, il faut ajouter les nombreuses églises avant tout de style gothique — excepté l'église Saint-Etienne, par ex. Maria am Gestade, l'église Saint-Michel, l'église des Frères Mineurs — et de l'époque baroque. Les deux grands musées construits sur l'avenue du Ring marquent également le caractère de la ville par leurs remarquables coupoles (de 1872 à 1881).

24 Musée d'Histoire de l'Art, galerie de peintures.
25 Musée d'Histoire Naturelle.
26 Musée d'Histoire de l'Art, escalier avec peintures de plafond et murales de Michael Munkáczy, Hans Makart, Franz Matsch, Gustav et Ernst Klimt et Antonio Canova.
27 et 28 Eglise Saint-Pierre, construite de 1703 à 1708 d'après les plans de Gabriele Montani; coupole et intérieur.
29 et 30 Eglise Saint-Charles, construite de 1716 à 1739 par les Fischer von Erlach père et fils; coupole et intérieur.
31 Eglise des Piaristes, construite entre 1716 et 1753 d'après les plans de Johann Lukas von Hildebrandt; intérieur avec peintures de plafond de Franz Maulbertsch.

Tra gli edifici che danno un'impronta alla città si possono annoverare le molte chiese, specialmente quelle risalenti ad epoca gotica — oltre alla chiesa di Santo Stefano, anche la chiesa Maria am Gestade, la Michaelerkirche, la Minoritenkirche — e al periodo barocco. La città è caratterizzata anche dai due grandi musei con le loro spiccate cupole che sorgono sul Ring e che furono costruiti nel 1872—1881.

24 Museo di Storia dell'Arte, Pinacoteca.
25 Museo di Storia Naturale.
26 Museo di Storia dell'Arte, vano delle scale con dipinti sulle pareti e sulla volta di Michael Munkáczy, Hans Makart, Franz Matsch, Gustav e Ernst Klimt e Antonio Canova.
27 e 28 Peterskirche (chiesa di San Pietro), costruita nel 1703—1708 su progetto di Gabriele Montani; cupola e interno.
29 e 30 Karlskirche (chiesa di San Carlo), costruita nel 1716—1739 dagli architetti Fischer von Erlach padre e figlio; cupola e interno.
31 Piaristenkirche (chiesa dei Piaristi), costruita tra il 1716 e il 1753 su progetto di Johann Lukas von Hildebrandt; interno con dipinti sulla volta di Franz Anton Maulbertsch.

24

25

27

29

32

28

30

32 Burgtheater, am Ring, erbaut 1874—1888 nach Plänen von Carl von Hasenauer und Gottfried Semper.
33 Theater in der Josefstadt, eine Wiener Institution, die sich bis zu Vorläufern ins 18. Jahrhundert zurückverfolgen läßt. 1923 übernahm Max Reinhardt die Leitung der Bühne. Er führte das einstige Vorstadttheater zur Weltgeltung.
34 Theater an der Wien, geht auf eine Gründung im Jahr 1786 zurück und wurde durch Emanuel Schikaneder zu einer der wichtigsten Wiener Vorstadtbühnen. Heute ist das Theater Heimstätte des Musicals und dient auch den Wiener Festwochen und dem Theater der Jugend.
35 und 36 Staatsoper, am Ring, 1861—1869 von August Sicard von Sicardsburg und Eduard van der Nüll erbaut. Das Orchester der Staatsoper sind die Wiener Philharmoniker (36: Opernball).
37 Musikvereinssaal, 1870 von Theophil Hansen erbaut.
38 Der Philharmonikerball im Musikvereinssaal.
39 Der große Konzerthaussaal.
40 Palaiskonzert im Palais Schwarzenberg.

32 Burgtheater, on the Ring, built 1874—1888 to plans by Carl von Hasenauer and Gottfried Semper.
33 Theater in der Josefstadt, a Viennese institution whose roots can be traced back to the 18th century. In 1923 Max Reinhardt took over the direction of the theatre and raised the former suburban stage to world importance.
34 Theater an der Wien, goes back to a foundation of 1787 and became one of the most important Viennese stages outside the centre under Emanuel Schikaneder. Today the theatre is the Viennese home of musicals, and it also serves for the Festival of Vienna and for the Young Peoples' Theatre.
35 and 36 State Opera, on the Ring, built 1861—1869 by August Sicard von Sicardsburg and Eduard van der Nüll. The Vienna Philharmonic Orchestra serves as the State Opera Orchestra (36: Opera Ball).
37 Musikvereinssaal, built 1870 by Theophil Hansen.
38 Ball of the Vienna Philharmonic Orchestra in the Musikvereinssaal.
39 The large hall of the Konzerthaus.
40 Palais concert in the Schwarzenberg Palais.

32 Burgtheater, sur le Ring, construit de 1874 à 1888 d'après les plans de Hasenauer et Gottfried Semper.
33 Théâtre de la Josefstadt, institution viennoise dont on peut suivre les antécédents jusqu'au 18ème siècle. En 1923, Max Reinhardt reprit la direction du théâtre. Il fit de l'ancien théâtre de faubourg une scène de rang mondial.
34 Théâtre an der Wien, date d'une fondation de l'an 1768 et devint grâce à Emanuel Schikaneder une des scènes les plus importantes des faubourgs de Vienne.
35 et 36 L'Opéra National, sur le Ring, construit de 1861 à 1869 par August Sicard von Sicardsburg et Eduard van der Nüll. L'Orchestre Philharmonique de Vienne est l'orchestre attitré de l'Opéra National (36: Bal de l'Opéra).
37 Salle du Musikverein, construite en 1870 par Theophil Hansen.
38 Bal de l'Orchestre Philharmonique dans la salle du Musikverein.
39 La grande salle de la Konzerthaus.
40 Concert au palais Schwarzenberg.

32 Burgtheater, sul Ring; costruito nel 1874—1888 su progetto di Carl von Hasenauer e Gottfried Semper.
33 Teatro nella Josefstadt, un'istituzione viennese i cui precedenti si rintracciano già nel secolo XVIII. Nel 1923 Max Reinhardt assunse la direzione del teatro. Quello che era un teatro di periferia acquistò con lui un importaza mondiale.
34 Teatro an der Wien, la sua costruzione risala all'anno 1786; sotto la direzione di Emanuel Schikaneder divenne uno dei più importanti teatri della periferia. Oggi questo teatro serve per la rappresentazione di commedie musicali e per gli spettacoli del Festival di Vienna e del Theater der Jugend (teatro della gioventù).
35 e 36 Staatsoper, sul Ring, costruita nel 1861—1869 da August Sicard von Sicardsburg e da Eduard van der Nüll. I filarmonici di Vienna compongono l'orchestra della Staatsoper (36: Ballo dell'Opera).
37 Musikvereinssaal (sala da concerti del Musikverein), costruita nel 1870 da Theophil Hansen.
38 Il ballo dei filarmonici nella Musikvereinssaal.
39 Grande sala da concerti della Konzerthaus.
40 Concerto nel Palazzo Schwarzenberg.

32

7

41 Albertina, weltberühmte Graphik-Sammlung.
42 Österreichisches Museum für angewandte Kunst, am Ring, Säulenhalle.
43 Österreichische Galerie, eine Sammlung österreichischer Kunstwerke des Mittelalters, der Barockzeit, des 19. und 20. Jahrhunderts.
44 Handschriftensammlung der Österreichischen Nationalbibliothek.
45 Die Museen der Stadt Wien mit ihrem Hauptgebäude auf dem Karlsplatz besitzen wichtige Zeugnisse der Wiener Kulturgeschichte.
46 Das Uhrenmuseum gehört zu den Museen der Stadt Wien.
47—52 In der Wiener Innenstadt und in den ehemaligen Vorstädten finden sich immer noch ruhige Plätze und Höfe, die auch wegen ihrer architektonischen und kunsthandwerklichen Details interessant sind.
53 Secession, Ausstellungsgebäude, erbaut von Joseph Maria Olbrich.
54 Postsparkasse, erbaut 1904 von Otto Wagner.
55 Villa Hüttelbergstraße 26, erbaut 1886 von Otto Wagner.
56 Wohnhaus, Linke Wienzeile, erbaut 1898 von Otto Wagner.
57 Kirche Am Steinhof, erbaut 1904—1907 von Otto Wagner.
58 Kärntner Bar, im Kärntner Durchgang, eingerichtet von Adolf Loos.

41 Albertina, the world's most important collection of graphic art.
42 Austrian Museum of Applied Art on the Ring, colonnade.
43 Austrian Gallery, a collection of Austrian art from the Middle Ages, the Baroque period, and the 19th and 20th centuries.
44 Manuscript collection of the Austrian National Library.
45 The Museums of the City of Vienna with their main building on the Karlsplatz possess important testimonies of Viennese cultural history.
46 The Clock Museum is one of the museums of the City of Vienna.
47—52 Many quiet corners and courtyards with details of architectural interest can still be found in the centre and in the former suburbs.
53 Secession. Exhibition hall, built 1897/98 by Joseph Maria Olbrich.
54 Post Office Savings Bank, built 1904 by Otto Wagner.
55 Villa Hüttelbergstraße 26, built 1886 by Otto Wagner.
56 Apartment house, Linke Wienzeile, built 1898 by Otto Wagner.
57 Church of the hospital Am Steinhof, built 1904—1907 by Otto Wagner.
58 Kärntner Bar in the Kärntner passage, designed 1907 by Adolf Loos.

41 Albertina. Collection Graphique de renommée mondiale.
42 Musée Autrichien des Arts Appliqués sur le Ring, salle aux colonnes.
43 Galerie Autrichienne, collection d'oeuvres d'art du Moyen-Age à l'époque baroque et des 19ème et 20ème siècles. le château du Belvédère.
44 Collection de manuscrits de la Bibliothèque Nationale Autrichienne.
45 Les Musées de la Ville de Vienne avec leur bâtiment principal sur la Karlsplatz, possèdent des oeuvres d'art et des documents de tous genres sur l'histoire culturelle de Vienne.
46 Le Musée des Horloges appartient aux Musées de la Ville de Vienne.
47—52 Dans le centre de la ville de Vienne et dans les anciens faubourgs, on trouve encore des places et des cours tranquilles qui sont intéressantes en raison de leurs détails d'architecture et d'artisanat.
53 Sécession, bâtiment d'exposition, construit en 1897/98 par Joseph Maria Olbrich.
54 Postsparkasse, construite en 1904 par Otto Wagner.
55 Villa, Hüttelbergstraße No 26, construite en 1886 par Otto Wagner.
56 Maison d'habitation, Linke Wienzeile, par Otto Wagner.
57 Eglise de Steinhof, construite de 1904 à 1907 par Otto Wagner.
58 Kärntner Bar, dans le Kärntner Durchgang, décoration intérieure en 1907 par Adolf Loos.

41 Albertina. La raccolta di opere grafiche celebre nel mondo.
42 Museo Austriaco di Arti Applicate sul Ring, sala con colonne.
43 Galleria Austriaca, una collezione di oggetti d'arte austriaca dell'epoca medioevale, barocca e dei secoli XIX e XX.
44 Collezione di manoscritti della Biblioteca Nazionale Austriaca.
45 I Musei della Città di Vienna con il loro edificio principale sulla Karlsplatz sono importanti documenti di storia della cultura di Vienna.
46 Il museo degli orologi fa parte dei Musei della Città di Vienna.
47—52 Nel centro storico di Vienna e negli antichi quartieri periferici si possono scoprire ancora piazze e cortili tranquilli di grande interesse anche per i loro particolari architettonici e artigianali.
53 Secession; palazzo per esposizioni costruito da Joseph Maria Olbrich.
54 Postsparkasse, costruita nel 1904 da Otto Wagner.
55 Villa nella Hüttelbergstraße 26, costruita nel 1886 da Otto Wagner.
56 Abitazione sulla Linke Wienzeile, costruita nel 1898 da Otto Wagner.
57 Chiesa am Steinhof, costruita nel 1904—1907 da Otto Wagner.
58 Kärntner Bar nel Kärntner Durchgang, arredato nel 1907 da Adolf Loos.

41

42

45

46

39

47

50

51

40

48   49

52

53

54

55

56

57

58

An der Stelle der Stadtbefestigungen und des davor gelegenen Glacis wurde in der zweiten Hälfte des 19. Jahrhunderts der die Innenstadt umschließende Straßenzug der Ringstraße angelegt.

59 Akademie der bildenden Künste, erbaut 1872—1876 im Stil der italienischen Renaissance von Theophil Hansen.
60 Justizpalast, erbaut 1875—1881 im Stil der deutschen Renaissance von Alexander Wielemans; Innenhof.
61 Parlament, erbaut 1874—1883 in altgriechischen Stilformen von Theophil Hansen.
62 Universität, erbaut 1873—1874 im Stil der italienischen Renaissance von Heinrich von Ferstel, Arkadengang im Ehrenhof.
63 Votivkirche, erbaut 1856—1879 im Stil der französischen Gotik von Heinrich von Ferstel.
64 Neues Rathaus, erbaut 1872—1883 in gotischem Stil von Friedrich von Schmidt.
65 Ringstraße, Blick auf die Karlskirche.
66 Schloß Belvedere. Prinz Eugen von Savoyen hat es, 150 Jahre vor der Ringstraßenzeit, von Lukas von Hildebrandt errichten lassen.

In place of the city fortifications and the surrounding glacis the Ringstraße was built in the second half of the 19th century.

59 Academy of Fine Arts, built 1872—1876 in the Italian Renaissance style by Theophil Hansen.
60 Palace of Justice, built 1875—1881 in the German Renaissance style by Alexander Wielemans; inner courtyard.
61 Parliament, built 1874—1883 following ancient Greek styles by Theophil Hansen.
62 University, built 1873—1874 in the Italien Renaissance style by Heinrich von Ferstel, arcaded Courtyard of Honour.
63 Votive Church, built 1856—1879 in the French Gothic style by Heinrich von Ferstel.
64 New Town Hall, built 1872—1883 in Gothic style by Schmidt.
65 Ringstraße, view towards St. Charles'.
66 Belvedere Palace. Prince Eugene of Savoy had it built by Lukas von Hildebrandt 150 years before the Ringstrassen era.

A l'emplacement des fortifications de la ville et du glacis, on construisit durant la seconde moitié du 19ème siècle l'avenue du Ring qui entoure la ville intérieure.

59 Académie des Beaux Arts, construite de 1872 à 1876 dans le style de la Renaissance italienne par Theophil Hansen.
60 Palais de Justice, construit de 1875 à 1881 dans le style de la Renaissance allemande par Alexander Wielemans; cour intérieure.
61 Parlement, construit de 1874 à 1883 dans l'ancien style grec par Theophil Hansen.
62 Université, construite de 1873 à 1874 dans le style de la Renaissance italienne par Heinrich von Ferstel cour d'honneur à arcades.
63 Votivkirche, construite de 1874 à 1879 dans le style gothique français par Heinrich von Ferstel.
64 Nouvel Hôtel de Ville, construit de 1872 à 1883 dans le style gothique par Friedrich von Schmidt.
65 Avenue du Ring, vue sur l'église Saint-Charles.
66 Château du Belvédère. Le prince Eugène de Savoie le fit construire par Lukas von Hildebrandt 150 ans avant l'époque du Ring.

Al posto delle fortificazioni della città e del Glacis che si apriva di fronte ad esse, fu realizzato il tracciato della Ringstraße (seconda metà del secolo XIX) attorno alla città interna.

59 Accademia delle Belle Arti, costruita nel 1872—1876 su progetto di Theophil Hansen nello stile del rinascimento italiano.
60 Palazzo di Giustizia, costruito nel 1875—1881 da Alexander Wielemans nello stile del rinascimento tedesco; cortile interno.
61 Parlamento, costruito nel 1874—1883 da Theophil Hansen nello stile greco antico.
62 Università, costruita nel 1873—1874 da Heinrich von Ferstel nello stile del rinascimento italiano arcata del cortile d'onore.
63 Votivkirche (Chiesa Votiva), costruita nel 1856—1879 da Heinrich von Ferstel nello stile gotico francese.
64 Neues Rathaus (nuovo Municipio), costruito nel 1872—1883 da Friedrich von Schmidt nello stile gotico.
65 Ringstraße, vista sulla chiesa di San Carlo.
66 Castello Belvedere. Della sua costruzione fu incaricato Lukas von Hildebrandt dal principe Eugenio di Savoia 150 anni prima dell'epoca della Ringstraße.

59

60

Schloß Schönbrunn sollte zuerst auf der Anhöhe stehen, wo heute die Gloriette steht. Erst der zweite Entwurf Johann Bernhard Fischers von Erlach wurde ausgeführt. Der Bau wurde 1695 begonnen und, mit verschiedenen Umbauten, unter Maria Theresia 1744—1749 beendet.

67 Einer der Schauräume.
68 Schönbrunner Schloßtheater.
69 Palmenhaus.
70 Wagenburg.
71 Motiv aus dem Schönbrunner Schloßpark.
72 Gesamtansicht des Schlosses Schönbrunn von der Gloriette aus.

Schönbrunn Palace was originally planned to look down from the hill where the Gloriette stands today, but it was Johann Bernhard Fischer von Erlach's second design that was carried out. Construction began in 1695 and was finished with various changes and adaptations under Maria Theresia 1744—1749.

67 One of the ceremonial rooms.
68 Schönbrunn Palace Theatre.
69 Palm house.
70 Coach house.
71 Motiv from the Palace Garden.
72 View of Schönbrunn Palace from the Gloriette.

Le château de Schönbrunn aurait dû être à l'origine construit sur la colline où se trouve de nos jours la Gloriette. Ce n'est que le second projet de Johann Fischer von Erlach que l'on réalisa. La construction fut commencée en 1695 et terminée sous Marie-Thérèse de 1744 à 1749 après de nombreuses modifications.

67 Une des salles.
68 Théâtre du château de Schönbrunn.
69 Palmeraie.
70 Musée des voitures.
71 Motif du parc du château de Schönbrunn.
72 Vue totale du château de Schönbrunn à partir de la Gloriette.

Il castello Schönbrunn avrebbe dovuto sorgere sull'altura sulla quale oggi c'è la Gloriette. La sua costruzione fu eseguita su un secondo progetto di Johann Bernhard Fischer von Erlach. La sua esecuzione iniziò nel 1695 e, dopo numerose trasfomazioni, fu completata nel 1744—1749 sotto Maria Teresa.

67 Una delle sale.
68 Teatro del castello Schönbrunn.
69 Serra di palme.
70 Rimessa per le carrozze.
71 Particolare del parco del castello Schönbrunn.
72 Veduta d'insieme del castello Schönbrunn dalla Gloriette.

67

68

„Vor der Stadt" liegen nicht nur die Schlösser Belvedere und Schönbrunn mit ihren Sammlungen, sondern auch das von Karl Schwanzer
1958 geschaffene Museum des 20. Jahrhunderts, das Heeresgeschicht-
liche Museum im Arsenal und, im Westen, das Technische Museum.

73 Museum des 20. Jahrhunderts, Aktion.
74 Heeresgeschichtliches Museum, Feldschlangen.
75 Technisches Museum.

Beliebte Wiener Institutionen haben meist eine alte Tradition — mit-
unter aber gewinnen sie ihre Beliebtheit schon kurz nach ihrer Einführung, weil sie dem Wesen dieser Stadt und ihrer Bewohner ent-
sprechen. Dazu gehören alle Straßen und Plätze, die verkehrsfrei
gemacht werden und so zum beschaulichen Schlendern, zum Schauen
und zum Einkaufen verlocken.

76 Konditorei Demel auf dem Kohlmarkt.
77 Versteigerung im Dorotheum.

Not only the Palaces of Belvedere and Schönbrunn with their collections
lie "outside the city", but also the Museum of the Twentieth Century
designed by Karl Schwanzer in 1958, the Military History Museum
in the Arsenal and the Museum of Technology.

73 Museum of the Twentieth Century, happening.
74 Museum of Military History, late Medieval field piece.
75 Museum of Technology.

Popular Viennese institutions usually have an ancient tradition—
just occasionally, however, there is such a thing as instant popularity
because an innovation corresponds to the character of the city and
its inhabitants. That was the case with all the roads and squares
from which cars have been banned and which are now taken over
by people strolling, looking, and shopping.

76 Konditorei Demel on the Kohlmarkt.
77 Auction in the Dorotheum.

«Devant la ville» se trouvent non seulement les châteaux du Belvédère
et de Schönbrunn avec leurs collections mais aussi le Musée du 20ème
siècle fondé par Karl Schwanzer en 1958, le Musée Historique de
l'Armée dans l'Arsenal et à l'Ouest le Musée Technique.

73 Musée du 20ème siècle, manifestation.
74 Musée Historique de l'Armée, canon.
75 Musée Technique.

Des institutions chères aux Viennois ont la plupart une tradition
ancienne, elles gagnent surtout leur popularité peu de temps après
leur création, car elles correspondent au caractère de la ville et de ses
habitants. Il faut citer toutes les rues et les places d'où l'on a banni
la circulation automobile et qui incitent à la flânerie, à regarder et à
acheter.

76 Confiserie Demel sur le Kohlmarkt.
77 Vente aux enchères au Dorotheum.

„Vor der Stadt" («fuori delle antiche mura cittadine») si possono
ammirare non solo il castello Belvedere e Schönbrunn, ma anche il
museo del XX secolo, opera di Karl Schwanzer (1958), il museo
di storia militare nell'Arsenale e, più ad ovest, il museo della tecnica.

73 Museo del XX secolo, manifestazione.
74 Museo di storia militare, colubrine.
75 Museo della tecnica.

Popolari istituzioni viennesi hanno per la maggior parte un'antica
tradizione. Non di rado la loro popolarità nasce quasi parallelamente
alla loro creazione, esse infatti sono espressione dello spirito di
questa città e dei suoi abitanti. Ne sono un esempio le strade e le
piazze dove il traffico automobilistico viene a poco a poco eliminato
e che sono diventate il luogo preferito per piacevoli passeggiate,
distrazioni, acquisti.

76 Pasticceria Demel nel Kohlmarkt.
77 Asta nel Dorotheum.

78 Schönlaterngasse: mehrere Galerien, Restaurants, die Alte Schmiede mit dem Libresso, den Ausstellungsräumen, dem Vortragssaal und dem originellen Kellerlokal.
79 Altstadtensemble vor der Kirche Maria am Gestade: ein ruhiger Platz mitten in der Stadt.
80 Kohlmarkt, Fußgängerzone.
81 Augarten-Porzellan, Blick in die Verkaufsstelle. Das Wiener Kunsthandwerk bietet außer diesem Porzellan mit dem Bindenschild wertvolle Goldschmiedearbeiten, Emailarbeiten, Puppen, Keramik und kostbare Glaswaren.
82 Wiener Glaswaren, Verkaufsstelle in der Kärntnerstraße.
83 Hotel Sacher, traditionsreich und legendenreich; die nach Geheimrezepten hergestellte Sacher-Torte wird in alle Welt versandt.
84 Zwölfapostelkeller, Stadtkeller in der Sonnenfelsgasse.
85 Fußgängerzone Kärntnerstraße: die traditionelle Wiener Einkaufsstraße.

78 Schönlaterngasse: several galleries, restaurants, the Alte Schmiede (old smithy) with its libresso, exhibition rooms, lecture hall and the tavern in the vaults.
79 Old town ensemble in front of the church Maria am Gestade: a quiet corner in the middle of the city.
80 Kohlmarkt, pedestrian zone.
81 Augarten china, view of the shop. Beside this fine china with the crowned shield mark, Viennese crafts include valuable goldsmiths' works, enamel, dolls, ceramics, pottery and precious glass.
82 Viennese glass ware. Shop in Kärntnerstraße.
83 Hotel Sacher, rich in tradition and surrounded by legend. The Sacher cake, with its jealously guarded secret recipe, is sent to all corners of the world.
84 Zwölfapostelkeller (twelve disciples' cellar), city vault in Sonnenfelsgasse.
85 Kärntnerstraße pedestrian zone: the traditional shopping street of the Viennese.

78 Schönlaterngasse: nombreuses galeries, restaurants, la Vieille Forge avec le «libresso», les salles d'exposition, la salle de conférences et la cave très originale.
79 Quartier de la vieille ville devant l'église Maria am Gestade: place tranquille au centre de la ville.
80 Kohlmarkt, zone pour piétons.
81 Porcelaine de Augarten, vue du magasin. L'artisanat viennois présente en plus de cette porcelaine de précieux travaux de joaillerie, des travaux d'émaux, des poupées, de la céramique et de la verrerie.
82 Verrerie viennoise, point de vente dans la Kärntnerstraße.
83 Hôtel Sacher, riche en traditions et légendes. La tarte Sacher dont la recette est un secret de la maison est envoyée dans le monde entier.
84 Cave des Douze Apôtres, cave de la ville dans la Sonnenfelsgasse.
85 Zone piétonnière de la Kärntnerstraße: la traditionelle rue commerçante de Vienne.

78 Schönlaterngasse: numerose gallerie, ristoranti, la Alte Schmiede (vecchia forgia) con il Libresso (caffè dei letterati), i locali per le esposizioni, la sala per le conferenze e con il caffè sotterraneo.
79 Gruppo di antiche costruzioni di fronte alla chiesa Maria am Gestade: un angolo tranquillo nel centro della città.
80 Kohlmarkt, zona pedonale.
81 Porcellana di Augarten, vista del locale di vendita. L'artigianato viennese offre oltre a questo genere di porcellane con motivi floreali, preziosi articoli di oreficeria, lavori in smalto, bambole, ceramiche e preziosi lavori in vetro.
82 Lavori in vetro viennesi, locale di vendita nella Kärntnerstraße.
83 Hotel Sacher, tradizionale e leggendario; la «torta Sacher», un dolce creato secondo una ricetta segreta, è diffuso in tutto il mondo.
84 Zwölfapostelkeller (cantina dei dodici Apostoli), cantina cittadina nella Sonnenfelsgasse.
85 Zona pedonale nella Kärntnerstraße: la tradizionale strada commerciale di Vienna.

78

79

Bilder als Hinweise für eine Stadtbesichtigung:

86 Stadtpark, Kursalon. Der Stadtpark wurde nach der Schleifung der
Stadtbefestigungen auf der Fläche des „Wasserglacis" als Park in
englischem Stil angelegt.
87 Johann-Strauß-Denkmal, eines der vielen Denkmäler des Stadtparks.
88 Eislaufverein und Konzerthaus.
89 Teil aus dem architektonischen Abschluß der Wienfluß-Einwölbung im
Stadtpark; Entwurf von Friedrich Ohmann, 1903.
90 Beethoven-Haus in der Probusgasse. Hier entstand das „Heiligenstädter Testament".
91 „Figarohaus", Schulerstraße 8, Mozarts Sterbehaus. Es enthält Gedenk-
räume, die von den Museen der Stadt Wien eingerichtet sind.
92 Barockmuseum im Unteren Belvedere, die Original-Bleifiguren des
1737—1739 von Georg Raphael Donner für den Neuen Markt ge-
schaffenen Providentiabrunnens.
93 Palais Schwarzenberg, Marmorsaal.

Suggestions for a walk round the city:

86 Stadtpark, pumphouse. The city park was laid out on the area of the
former "Wasserglacis" after the razing of the city fortifications, on
the model of an English garden.
87 Johann-Strauß-Memorial, one of the many sculptures in the Stadtpark.
88 Ice rink and Konzerthaus.
89 Part of the architectural head to the Wienfluß tunnel in the Stadtpark;
design by Friedrich Ohmann, 1903.
90 Beethoven-house in Probusgasse. The "Heiligenstädter Testament"
was written here.
91 Figaro house, Schulerstraße 8, the house where Mozart died.
It contains memorial rooms furnished by the Museums of the City
of Vienna.
92 Baroque Museum in the Lower Belvedere, the original lead sculptures
created by Georg Raphael Donner 1737—1739 for the Providentia
Fountain on the Neuer Markt.
93 Palais Schwarzenberg, marble gallery.

Photos de curiosités conseillées lors d'une visite de la ville:

86 Stadtpark, Kursalon. Le Stadtpark fut tracé après la démolition des
fortifications de la ville à l'emplacement du «glacis d'eau» dans le
style des parc anglais.
87 Monument de Johann Strauß, un des nombreux monuments du Stadtpark.
88 Association sportive de patinage et Konzerthaus.
89 Partie du fronton du tunnel de la Vienne dans le Stadtpark; projet de
Friedrich Ohmann, 1903.
90 Maison de Beethoven dans la Probusgasse. Ici fut écrit le «Testament
de Heiligenstadt».
91 «Maison de Figaro», Schulerstraße No 8, maison mortuaire de Mozart,
Elle renferme des salles du souvenir qui sont aménagées par les
Musées de la Ville de Vienne.
92 Musée Baroque dans le Belvédère Inférieur. Figures de plomb
réalisées de 1737 à 1739 par Georg Raphael Donner pour la fontaine
de la Providence sur le Neuer Markt.
93 Palais Schwarzenberg, galerie de marbre.

Illustrazioni-guida per una vista della città:

86 Stadtpark, Kursalon. Lo Stadtpark (Parco civico) è sorto sull'area
che aveva il nome di «Wasserglacis» dopo la demolizione dei bastioni
della città; è stato tracciato in stile inglese.
87 Monumento a Johann Strauß, uno dei numerosi monumenti nel
parco civico.
88 Associazione di pattinaggio e Konzerthaus.
89 Particolare dello sbocco architettonico della copertura a volta
del fiume Wien nel parco civico; progetto di Friedrich Ohmann, 1903.
90 Casa di Beethoven nella Probusgasse. Qui egli compose lo
«Heiligenstädter Testament».
91 «Figarohaus» (casa di Figaro), casa di morte di Mozart. È stato
dichiarato monumento nazionale ed è possibile visitare le sue stanze
che sono affidate alle cure dei Musei della Città di Vienna.
92 Museo barocco nel Belvedere inferiore; statue di piombo originali del
1737—1739 di Georg Raphael Donner, create per la Providentiabrunnen
(fontana della Providenza) nella piazza Neuer Markt.
93 Pailais Schwarzenberg, sala di marmo.

86

87

Bilder als Hinweise für eine Stadtbesichtigung:

94 Maria-Theresien-Denkmal, zwischen den beiden Museen auf dem Ring, ein Werk von Kaspar von Zumbusch, 1888 enthüllt:
95 Kapuzinergruft auf dem Neuen Markt, Begräbnisstätte der Habsburger.
96 Platz Am Hof mit dem Collaltopalais, alten Bürgerhäusern und dem Bürgerlichen Zeughaus. Hier befand sich von der Mitte des 12. Jahrhunderts an die Residenz der Babenberger.
97 Pestsäule am Graben, gestiftet im Pestjahr 1679 von Kaiser Leopold I., geweiht 1693, ein Werk, an dem Matthias Rauchmiller, Fischer von Erlach der Ältere, Lodovico Burnacini und Paul Strudel beteiligt sind.
98—106 Wiener Milieu — für nostalgische Naturen. Mit diesen Bildern ist zwar Typisches erfaßt, sie zeigen aber nur eine Facette des vielfältigen Bildes dieser Stadt.

Suggestions for a walk round the city:

94 Maria Theresia Memorial between the two Museums on the Ring, by Kaspar von Zumbusch, unveiled 1888.
95 Capucchin vault on Neuer Markt, burial place of the Hapsburgs.
96 Square Am Hof with the Collalto palace, old burghers' houses and the Citizens' Armory. This was the site of the Babenberg residence in the middle of the twelfth century.
97 Plague column on the Graben, dedicated by Emperor Leopold I in the plague year 1679, consecrated in 1693, a joint work by Matthias Rauchmiller, Fischer von Erlach the Elder, Lodovico Burnacini and Paul Strudel.
98—106 Viennese milieus—for nostalgic natures. These pictures do indeed show typical facets, but only facets of the varied image of this city.

Photos de curiosités conseillées lors d'une visite de la ville:

94 Monument de Marie-Thérèse, entre les deux musées sur le Ring, oeuvre de Kaspar von Zumbusch, inauguré en 1888.
95 Crypte des Capuçins sur le Neuer Markt, cercueils de la famille des Habsbourg.
96 Place Am Hof avec le palais Collalto, vieilles maisons bourgeoises et l'Arsenal bourgeois. C'est ici que se trouvait à partir de la moitié du 12ème siècle la résidence des Babenberg.
97 Colonne de la Peste sur le Graben, don de l'empereur Léopold I en 1679, année de l'épidémie de peste, consacrée en 1693, oeuvre à laquelle ont participé Matthias Rauchmiller, Fischer von Erlach-père, Lodovico Burnacini et Paul Strudel.
98—106 Milieu viennois — pour les naturels nostalgiques. Ces photos illustrent un aspect typique mais ne montrent qu'une des facettes du caractère très varié de cette ville.

Immagini-guida per una visita della città:

94 Monumento a Maria Teresa tra i due musei sul Ring, opera di Kaspar von Zumbusch, scoperto nel 1888:
95 Kapuzinergruft (Cripta dei Cappuccini) nella piazza Neuer Markt, tomba degli Asburgo.
96 Piazza Am Hof con il palazzo Collalto, antiche case borghesi e arsenale civico. Qui si trovava la residenza dei Babenberger dalla metà del secolo XII in poi.
97 Colonna della peste nel Graben, promessa in voto dall'imperatore Leopoldo I durante l'epidemia della peste dell'anno 1679, consacrata nel 1693, opera di Matthias Rauchmiller, Fischer von Erlach il vecchio, Lodovico Burnacini e Paul Strudel.
98—106 Ambiente viennese — per nature nostalgiche. Queste illustrazioni costituiscono soltanto un esempio tipico degli svariati aspetti di questa città.

94

95

98

99

100

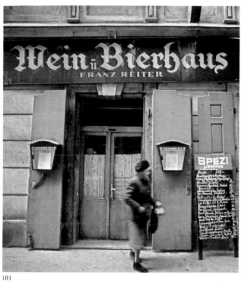

101

102

103

104

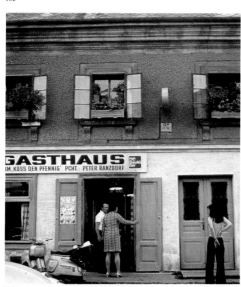

105

106

107 Andromedabrunnen, im Hof des Alten Rathauses, 1741 von Georg Raphael Donner geschaffen.

108 Brunnen im Savoyischen Damenstift, Johannesgasse 15—17, 1766—1770 von Johann Martin Fischer geschaffen.

109 Biedermeierhaus aus dem Jahr 1803, Schreyvogelgasse 10.

110—115 Gut essen, gut trinken, sich gut unterhalten — berechtigte Wünsche von Menschen, die hart arbeiten, in Wien so wie überall.

116—121 Wiener Prater: Seit der Freigabe des kaiserlichen Jagdgebietes in den Donauauen für die Öffentlichkeit durch Joseph II., 1766, ist er der beliebteste Erholungs- und Belustigungsort der Wiener.

107 Andromeda fountain in the courtyard of the Old Town Hall, created 1741 by Georg Raphael Donner.

108 Fountain in the Savoy' Foundation for Ladies, Johannesgasse 15—17, created by Johann Martin Fischer, 1766—1770.

109 Biedermeier house from the year 1803, Schreyvogelgasse 10.

110—115 Eat well, drink well, have fun—hard-working peoples' well-earnt desires, in Vienna and anywhere else.

116—121 Vienna Prater: Since Joseph II opened the Imperial hunting grounds in the Danube riparian region to the public in 1766, the Prater has been the favourite place of recreation and amusement for the Viennese.

107 Fontaine d'Andromède, dans la cour de l'ancien Hôtel de Ville, réalisée en 1741 par Georg Raphael Donner.

108 Fontaine dans le Savoyischer Damenstift, Johannesgasse No 15—17, réalisée de 1766 à 1770 par Johann Martin Fischer.

109 Maison Biedermeier de l'année 1803, Schreyvogelgasse No 10.

110—115 Bien manger, bien boire, bien s'amuser, souhait compréhensible des hommes qui travaillent beaucoup à Vienne comme partout ailleurs.

116—121 Prater viennois: depuis l'ouverture au public par Joseph II du domaine de chasse impérial sur les rives du Danube en 1766, il est devenu le lieu de détente et d'amusement préféré des Viennois.

107 Fontana di Andromeda, nel cortile dell'antico Municipio, ideata nel 1741 da Georg Raphael Donner.

108 Fontana nell'Ospizio Femminile Savoiardo, Johannesgasse 15—17, ideata nel 1766—1770 da Johann Martin Fischer.

109 Casa Biedermeier al numero 10 della Schreyvogelgasse.

110—115 Mangiare e bere bene, conversare piacevolmente — giusti desideri di tutti coloro che lavorano molto, a Vienna come dovunque.

116—121 Il Prater di Vienna: nel 1776, in seguito all'apertura al pubblico della riserva di caccia imperiale nelle praterie lungo il Danubio ad opera di Giuseppe II, esso rappresenta il luogo di ricreazione e di divertimento più amato dai Viennesi.

107

108

110

113

114

111

112

115

16

17

119

18

120

121

69

122 Flohmarkt auf dem Platz Am Hof.
123 Mariahilfer Straße zur Weihnachtszeit.
124 Kirtagsstand.

Viele Wiener Institutionen und Bauwerke der Vergangenheit, die das geistige und optische Stadtbild mitbestimmen, werden heute von der Verwaltung der Stadt gefördert und erhalten. Die Stadt Wien initiiert und verwirklicht aber auch in der Gegenwart ein großes Programm städtebaulicher, kultureller und sozialer Projekte.

125—129 Wohnhausanlagen der Stadt Wien, „Gemeindebauten", aus der Zeit der Ersten Republik, 1918—1934. Die architektonisch bedeutendste Anlage dieser Zeit ist der Karl-Marx-Hof (128).

130—135 Neben den Wohnbauten der Stadt Wien sind in der Gegenwart die sozialen Einrichtungen von besonderer Bedeutung: Schulen, Kindergärten, Krankenhäuser, Kindertagesheime, Einkaufszentren, Studentenheime, Verkehrsanlagen, Parks, Sportanlagen.

122 Flea market on the square Am Hof.
123 Mariahilfer Straße at Christmas time.
124 Stall at the festival of a local church's patron saint. Many Viennese institutions and buildings from the past which determine the spiritual and visual image of the city, are now supported and maintained by the city administration. The city of Vienna also initiates and realizes a generous programme of urban planning as well as cultural and social projects.

125—129 Housing estates of the City of Vienna from the time of the First Republic, 1918—1934. The most important architectural achievement of that time is Karl-Marx-Hof (128).

130—135 Apart from municipal housing, social institutions are of particular importance today: schools, kindergartens, hospitals, day schools, shopping centres, students' hostels, traffic buildings, parks, sports-grounds.

122 Marché aux puces sur la place Am Hof.
123 Mariahilfer Straße à la période de Noël.
124 Stand de foire.

De nombreuses institutions viennoises et bâtiments du passé qui déterminent le caractère et l'aspect de la ville sont actuellement subventionnés et entretenus par l'Administration de la Ville. Mais la Ville de Vienne projette et réalise également de nos jours un grand programme de réalisations urbaines, culturelles et sociales.

125—129 Cités d'habitation de la Ville de Vienne, «cités communales» de l'époque de la 1ère République, 1918—1934. Le complexe le plus important au point de vue architectonique et datant de cette époque est la cité Karl Marx (128).

130—135 En plus des immeubles d'habitation de la Ville de Vienne, les institutions sociales récentes sont d'une grande importance: écoles, jardins d'enfants, hôpitaux, centres d'accueil pour enfants, centres commerciaux, foyers d'étudiants, moyens de transport, parcs, terrains de sport.

122 Il mercato delle pulci nella piazza Am Hof.
123 La Mariahilfer Straße nel periodo natalizio.
124 Chiosco di vendita in occasione della Giornata della Chiesa.

Molte istituzioni ed edifici viennesi che appartengono al passato e che caratterizzano l'immigine ottica e spirituale della città, sono oggi affidati alle cure e alla manutenzione dell'amministrazione civica. La Città di Vienna ha iniziato e realizza anche oggi un imponente programma di opere edilizie, culturali e sociali.

125—129 Quartieri d'abitazione della Città di Vienna «Edifici dell'ammistrazione comunale» dell'epoca della prima Repubblica, 1914—1934. Il più importante complesso architettonico di quel periodo è il Karl-Marx-Hof (128).

130—135 Oltre alle case d'abitazione della Città di Vienna, sono oggi degne di essere menzionate altre importanti opere nel settore dell'edilizia sociale: scuole, asili infantili, ospedali, giardini d'infanzia, centri commerciali, case dello studente, rcti stradali, parchi, centri sportivi.

122

123

125

126

128

127

129

130

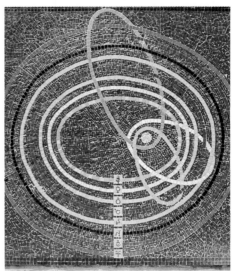

133

134

131

132

135

136, 137 Wiener Stadthalle, eine Mehrzweckanlage für kulturelle, religiöse und sportliche Veranstaltungen. Erbaut 1953—1958 von Roland Rainer.
138 Blick auf die Wiener Internationale Gartenschau (WIG) 1964.
139 Blick auf das Gebäude der WIG 1974.
140 Leopoldsberg, Wander- und Erholungsgebiet, Hausberg der Wiener.
141 Flußlandschaft der Lobau im Süden der Stadt mit ihrem tiefsten Punkt, 151 m ü. d. M.
142 U-Bahn-Tunnel.
143 Blick aus der U-Bahn-Baustelle auf dem Stephansplatz.
144 Neue Wohnviertel im Nordosten der Stadt. Großfeldsiedlung.
145 Die Donau erhält bei Wien ein zweites Gerinne. So entsteht eine langgestreckte Donauinsel mit einem neuen Erholungsgebiet für die Wiener, es wird absoluter Hochwasserschutz erreicht, und der Grundwasserspiegel wird in weitem Umkreis ansteigen.
146 Internationales Amtssitz- und Konferenzzentrum Wien, „Uno-City".

136, 137 Vienna City Hall, a multi-purpose centre for cultural, religious and sporting events. Built 1953—1958 by Roland Rainer.
138 View of the Vienna International Horticultural Exhibition (WIG) 1964 building from the Danube tower.
139 View of the WIG 1974 building.
140 Leopoldsberg, a region for walking and recreation, the "home hill" of the Viennese.
141 Riparian landscape of the Lobau in the South of the city, its lowest point is 151 m above sea level.
142 Subway tunnel.
143 View from the subway building site on Stephansplatz.
144 New housing estates North-East of the city. Großfeldsiedlung.
145 The Danube will receive a second bed near Vienna, which will provide a long Danube island with a new recreation area for the Viennese, secure absolute flood protection and raise the groundwater level within a wide radius.
146 International office and conference centre Vienna, „UNO-City".

136—137 Palais des Sports, bâtiment qui peut être utilisé pour des manifestations culturelles, religieuses et sportives, construit de 1953 à 1958 par Roland Rainer.
138 Vue sur le bâtiment de l'Exposition Internationale d'Horticulture de Vienne (WIG) en 1964, depuis la tour du Danube.
139 Vue sur le bâtiment de la WIG 1974.
140 Leopoldsberg, lieu d'excursion et de détente, «montagne» des Viennois.
141 Site fluvial de la Lobau au Sud de Vienne, point le plus bas de la ville (alt. 151 m).
142 Tunnel du Métro.
143 Vue prise à partir d'un chantier du métro sur la place Saint-Etienne.
144 Nouveau quartier d'habitation au Nord-Est de la ville. Cité de Großfeld.
145 Le Danube a dans Vienne un second canal d'écoulement. Il en résulte une longue île sur le Danube avec un nouveau centre de détente. Elle sera absolument protégée des innondations. Le niveau de la nappe aquifère en sera relevé dans un vaste périmètre.
146 Centre de conférences et siège d'organisations internationales, UNO-City, sur la rive gauche du Danube.

136 e 137 La Stadthalle di Vienna, un vasto centro per manifestazioni culturali, religiose e sportive. Costruito da Roland Rainer nel 1953—1958.
138 Vista del palazzo dell'Esposizione Internazionale di Giardinaggio di Vienna (WIG, 1964) dalla torre del Danubio.
139 Vista del palazzo della WIG, 1974.
140 Leopoldsberg, meta di passeggiate e di ristoro; la collina preferita dai Viennesi.
141 Paesaggio fluviale della Lobau a sud della città; il punto più basso: 151 metri sopra il livello del mare.
142 Galleria della metropolitana.
143 Vista dal cantiere della metropolitana sulla piazza di Santo Stefano.
144 Nuovo quartiere d'abitazione a nord-est della città. Centro abitato di Großfeld.
145 Un secondo corso d'acqua si dirama dal Danubio; si forma così una lunga isola che è meta di ristoro per i Viennesi, si crea un elemento protettivo contro le piene e la possibilità di aumento del livello dell'acqua si estende in questo modo ad un raggio molto più vasto.
146 La sede di organizzazioni e congressi internazionali di Vienna, la «UNO-City» sulla riva sinistra del Danubio.

136

137

142

144

143

145

147 Bau einer Wohnungsgenossenschaft, Inzersdorfer Straße.
148 Stadt des Kindes, ein Heim für rund 260 meist milieugeschädigte Kinder, das nach neuen architektonischen und erzieherischen Konzepten errichtet wurde und geführt wird.
149 Praterbrücke.
150 Wienerwald. Ihm verdanken die Wiener vor allem, daß sie noch immer eine bessere Luft in ihrer Stadt haben, als das in anderen Großstädten der Welt der Fall ist.

147 Apartment house of a housing co-operative, Inzersdorfer Straße.
148 Children's City, a home for about 260 children, most of them from problem backgrounds, designed and administered to new architectural and educational concepts.
149 Prater bridge.
150 Vienna Woods. Thanks to the Vienna Woods, the Viennese still enjoy better air than other city-dwellers.

147 Construction d'une cité d'habitation, Inzersdorfer Straße.
148 Ville de l'Enfant, maison d'enfant prévue pour 260 enfants provenant de familles inaptes à leur éducation, conçue et dirigée d'après de nouveaux concepts architectoniques et éducatifs.
149 Pont du Prater.
150 Forêt viennoise. C'est à elle que les Viennois doivent avant tout le «bon air» de leur ville. Il est meilleur que dans les autres grandes villes du monde.

147 Costruzione di una società edilizia, Inzersdorfer Straße.
148 Città del Bambino, una casa d'assistenza all'infanzia per circa 260 bambini in gran parte vittime di condizioni sociali sfavorevoli; è costruito secondo concetti architettonici moderni e basato su nuove concezioni pedagogiche.
149 Ponte del Prater.
150 Foresta Viennese. Rende l'aria della città di Vienna migliore che in molte altre grandi città.

147